CU00690969

Konstantin Nopel

ROME UND JULIGE
Die Urbanität der Geschmacklosigkeit!

Wie man das Städtische leicht nimmt!!!

novum pro

Dieses Buch ist auch als
e-book
erhältlich.

www.novumverlag.com

Bibliografische Information
der Deutschen Nationalbibliothek:

Die Deutsche Nationalbibliothek
verzeichnet diese Publikation in
der Deutschen Nationalbibliografie.
Detaillierte bibliografische Daten
sind im Internet über
http://www.d-nb.de abrufbar.

© 2021 novum Verlag

ISBN 978-3-99107-649-0
Lektorat: Leon Haußmann
Umschlagabbildung: Konstantin Nopel
Umschlaggestaltung, Layout & Satz:
novum Verlag

Gedruckt in der Europäischen Union
auf umweltfreundlichem, chlor- und
säurefrei gebleichtem Papier.

www.novumverlag.com

Inhalt

Vorwort!

Eine Offenbarung an die heutige städtische Gesellschaft, ein Buch, das sich an die Geschmacklosigkeit der heutigen Zeit erinnert! Und es wagt, Dinge auszusprechen, die wohl keiner vorher getan hat!

„Rome und Julige" ist eine Verdrehung und Verwechslung der heutigen geschmacklosen Zeit und keine Romanze! Das Buch kann nicht als Sammlung von Kurzgeschichten angesehen werden, aber es behandelt wichtige, den Zeitgeist der momentanen urbanen Gesellschaft treffende, spannende und brisante Themen. Doch warum heißt die Geschichte nicht nur: „Die Urbanität der Geschmacklosigkeit", sondern trägt den Titel „Rome und Julige"? Und warum der Zusatz: „Wie man das Städtische leicht nimmt"?

Die Abhandlungen und Geschichten entstanden, während ich in einer großen Stadt in der Schweiz verweilte! Und ich frage mich, ob ich die richtige Entscheidung getroffen habe, nachdem ich eine Weile in einem Schweizer Bergdorf gewohnt hatte, in die Stadt zu ziehen? Nun, die Entscheidung war richtig gewesen, doch es wird sich zeigen, ob ich hier in Stadtnähe bleiben werde? – Ich wohne in einer schönen großen Wohnung; wenn ich aus dem Haus gehe, bin ich im Getümmel einer Großstadt, wo es zwar auch geht, außer dass es die Nähe und Menschlichkeit des kleinen Schweizer Bergdorfes gibt!

Rome steht für Stadt, Julige eher für das Monumentale. Der Grund für die Verwechslung und Verdrehung der Liebesgeschichte von Romeo und Julia ist folgender: An diesem Ort gibt es nicht nur geschmackvolle, sondern auch viele geschmacklose Leute, nicht nur Heteros, sondern alle möglichen Formen der heutigen urbanen Gesellschaft! Ich vermute, es ist allen egal, obwohl jeder gezwungenermaßen für sich einen Unterschied macht! Aber man hat sich trotzdem in irgendeiner Weise lieb! Man kommt an sich vorbei, man sieht sich jeden Tag, andere wiederum zum ersten Mal, aber trotzdem nimmt man sich in irgendeiner Weise nicht wahr!

Nach „Romea und Julius" vermutet man den Titel des Buches schon eher bei mir als vorher, denn ich bin wissenschaftlicher Schriftsteller, der sich vor allem mit den Menschen beschäftigt.

Doch die Geschmacklosigkeit nimmt jeden Tag zu, genauso wie es mit der Gleichgültigkeit in dem Schweizer Bergdorf gewesen war. In dem Bergdorf war ich hängengeblieben, nun bin ich hier und werde wohl noch eine ganze Weile hier bleiben!

Im Sommer 2020
Konstantin Nopel

Viele Wege führen nach Rom?!

Die Stadt des humanistischen Geistes, die Stadt der Kunst, die Stadt Italiens, alles durchmischt zu einem unerträglichen Wirrwarr und des Seins!

Viele suchen den Weg in diese Stadt, als ob es nicht anders geht, als kein Weg daran vorbei, weil viele Wege dorthin führen! Sei es zu Fuß, mit dem Auto, per Schiff oder mit dem Flugzeug!

Man kann nicht mit dem Schiff direkt in die Stadt fahren, aber durch einen Geheimweg hingelangen!

Seit Tausenden von Jahren gibt es sie, vergessen tut man sie nicht, aber so begehrt wie Venedig oder Florenz ist sie nie!

Nun, die Zeit der Blüte der Jahre ist vorbei, doch ein Brennpunkt in der Geschichte ist sie merklich immer noch!

Seit Romulus und Remus die Stadt gegründet haben, hat sie nie den Glauben verloren! Und seit dieser Zeit heiß umkämpft, ist sie ein Wahrzeichen von Krieg und Frieden geblieben. Viele Wege sind übriggeblieben, Bahnen, Bauten, Statuen geblieben. Doch der Traum, sie zu erobern, ist längst vorbei, weil es inzwischen unmöglich erscheint.

Rom, die Stadt der Mächtigen und der unvergänglichen Bauten, muss mächtig aussehend bleiben, aber darf an Glanz nicht verlieren, doch der Papst mit seinem Stuhl Petri beim Vatikan darf alles, nur nicht das Unvergängliche zu Kreuze tragen!

Ruhe, Erhabenheit, und Gloria, die Mensa des machtvollen Wissens, in einer Zeit der nichtsahnenden geschmacklosen Unverträglichkeit. Viva Roma ! Viva la via di Roma in gloria et aetas sunt ! (Es lebe Rom! Es lebe der Weg nach Rom, in Ruhm und Zeitalter!)

Doch nicht für alle hat der Weg wieder weggeführt. Räuber, Diebe mussten bleiben, in Kerkern bei Wasser und Brot ihr Leben lassen. Soldaten hatte Caesar genug, die fürs Vaterland ihr Leben ließen und als Nutznießer in die Geschichte eingehen! Ob Kunst, Mode, Universität, für mehr hat auch die Moderne Einzug in diese Stadt erhalten. Aber, wie vieles in der Welt, hat es auch in Rom geschmacklose Dinge gegeben! Morden, Wahnsinn, Blutverlust, aber nach all dem Frust ist Rom in seiner Art einzigartig geblieben!

„Er kam, sah, siegte!" – „Viele Wege führen eben nach Rom!" So wie sie von da wieder wegführen, in Kürze und Länge sind sie alle gleich, aber in einem Kürzel ausgedrückt: Viva, Roma!

Stille Wasser sind tief!

Bisweilen sind wir es gewöhnt, dass man nicht allem von allen Glauben schenken kann!? Denn der Apfel fällt nicht weit vom Stamm, was dies anbelangt! Aber, davon abgesehen, gilt nicht alles als aufrichtig, was pflegeleicht zu erscheinen vermag, denn nicht alles scheint der Wahrheit zu entsprechen, was man verspricht und als klug hinstellt, aber darüber lässt es sich streiten?!

Da wo das Wasser tief ist, ist die See zuweilen ruhig; und wo es rund zugeht, da ist was los, was meist Freude zu bereiten vermag!

Sind alle stillen Menschen tiefgründig? Nein, das kann man nicht unbedingt sagen, aber meistens haben sie auch etwas zu sagen; vielleicht aber im Versteckten, aber das muss es wohl auch geben!

Wie laut wäre die Welt, wenn es keine ruhigen Menschen geben würde. Und irgendwie auch gewöhnlich?

Es gab mal 'ne Schriftstellerin, die hat das Laute auch mit billigen Dingen verglichen, denn zum Beispiel ein großes Automobil fährt gewöhnlich auch ruhiger und sicherer.

Kurze Rede, kurzer Sinn, um nochmals auf das Ruhige sprechen zu kommen: Fühlt man sich bei ruhigen Menschen, die leise sprechen, sicher? – In der Regel, ja! Aber, was ist mit denen, die kein Sterbenswort von sich geben? Sind da die stillen Wasser nicht zu tief? Doch, doch! Obwohl, viel zu stille Menschen haben auch etwas Verschlossenes an sich. Und tiefgründige Menschen sind nur tiefgründig, wenn sie etwas Tiefsinniges zu erzählen haben.

Philosophen sind auch keine lauten Menschen, und Verschrobene sind meistens auf eine Art und Weise gewalttätig. Gewalt ist etwas lautes, jedoch kommt ein Dieb auf leisen Sohlen!

Lautselige Menschen finden keinen Schlaf, aber treue Seelen schlummern tief und fest in der Abenddämmerung. Und eine Lanze, ein Schwert, ein Säbel ruhig in jemand reinzustoßen, ist ein Ding der Unmöglichkeit. Stille Wasser stillen den Durst weniger als das sprudelnde Süßwasser.

Wie sagt man? In der Ruhe liegt die Kraft, aber gleichzeitig kann ein ruhiger Mensch auch langweilig sein; genauso wie eine eintönige, langweilige Tätigkeit!

Aber ein jeder Schriftsteller schätzt es, nicht in schreiender Gesellschaft zu sein, aber es gibt auch welche, die ihre Bücher in Caféhäusern und in einem Speisewagen schreiben.

Man kann jedoch nur laut sein, wenn man auch das andere kennt, besonders in einer lauten Zeit, wo ein bisschen Ruhe Sinn machen würde!

Presslufthammer!!!

Was für ein Lärm war an der Baustelle! Kinder, Frauen und sogar die Männer hielten sich beim Vorbeigehen die Ohren zu. Könnte man das nicht etwas leiser machen? Fürwahr, es war eine Tortur, und trotzdem hielt die Prozedur schon über Stunden an!

Der empfindsame Jakob hielt sich die Ohren zu. Das Problem war, dass er gleich hinter der Baustelle wohnte; und auch bei geöffnetem Fenster war es nicht besonders angenehm.

Abends das Gleiche. Jakob war verabredet. Er ging mit Freunden aus und landete in einer topmodernen Disco, die wie ein Raumschiff aussah! Der einzige Nachteil war, dass es nicht fliegen konnte! Seine Freunde hatten seit Tagen für diese Disco geschwärmt und er hatte sich auch gefreut! Doch nun hielt sich die Freude in ziemlichen Grenzen. Die Musik war laut, so dass man sie nicht als Musik empfinden konnte, sondern man empfand es als regelrechter Lärm! Obwohl, er hörte sonst die gleiche Musik, sogar gern und jetzt diese Blamage, und er hätte sich am liebsten – wie heute Morgen – die Ohren zugehalten. Der Takt der Musik fuhr einfach so über seine beiden Trommelfelle wie eine plättende Dampfhammermerwalze. Und das an diesem Tag, wo er etwas Angenehmes hätte brauchen können!

Plötzlich huschte ein Lächeln über sein Gesicht. Wie konnte er nur so etwas Unsinniges denken? Presste man Trauben auch mit so viel Geräusch? – Und was gab's für ein Geräusch beim Gebären? Die Frauen pressten das Baby auch irgendwie raus?!

„Press the button! Press, press, press the button!!", sangen die riesigen Lautspreche gerade. „Press!"

Apropos Presse? Er war gespannt, ob die Presse morgen etwas über Ruhestörung bringen würde. – Sehr gespannt!

Und dann schnappte er nach Luft! Neben ihm hatte sich gerade ein Mädchen hingesetzt. Es war ein Hammer! Aber, ihm fehlte der Mut, sie anzusprechen. Denn seine besten Freunde hatten das schon getan. Er hatte keine Lust, von ihr gefragt zu werden, was er gerade zu ihr gesagt hatte! Bei all dem Lärm. Und darauf presste er lieber noch ein wenig von der Zitrone in sein Coca-Cola-Glas, obwohl sie ihn nicht abfällig musterte.

„Press the button! Press, press, press, press the button!!!"

Zuhause hatte er dann endlich seine Ruhe! Von all den Presslufthämmern den ganzen Tag. Musik war sein Leben gewesen. Nun hatte er das Interesse beinahe daran verloren und er genoss endlich die abendliche Ruhe …!

In der Ruhe liegt die Kraft?

Kraftquellen gibt es viele. Eine davon ist die Ruhe und die Erhabenheit und die Stille eines Ortes! Es zeigt sich meistens, dass man aus der Ruhe und Stille mehr schöpfen kann als aus lautseligen Dingen, die nichts bringen!

Die Ruhe hat etwas Feierliches, etwas wo viel Kraft vorzufinden ist. Man kann sich zum Beispiel nicht vorstellen, dass es in einer Kirche laut zu- und hergeht. Wo es still ist, findet man Kraft im Gebet. Und wenn man etwas lernen möchte, muss man auch seine Ruhe dazu haben!

Ein Ort, wo man auch seine Ruhe braucht, ist die Bibliothek. Dort herrscht meistens eine entspannte, ruhige Atmosphäre und das ist die Atmosphäre des Wissens! Trotz aller Spannung ist dort das Reden verboten, weil man sonst nicht lernen kann. Und lernen sollte man viel im Leben!

Menschen, die Ruhe ausstrahlen, sind meistens gerngesehene Leute, welche oftmals auch viel wissen, weil sie viel lesen! Diese Ruhe verkörpert auch viel Intelligenz. Es können heute fast alle Leute lesen, aber haben Schriftsteller auch so viel zu lesen? Und lesen sie die eigenen Bücher auch? Nein, natürlich nicht. Denn wer schreibt schon für sich selbst?

Kann man auch in Ruhe Kapital schöpfen? Die wenigsten tun dies, denn die meisten wollen etwas erleben für ihr Geld! – Kosten lautselige Dinge mehr als die stillen Orte, wo so manche Geschäfte abgewickelt werden? In der Regel, ja. Große Dinge kosten mehr, genauso wie Ferien an großen Orten und in großen Hotels. Kleine Orte sind ruhiger und kosten dementsprechend wenig. Und das stille Örtchen kostet meistens fast nichts, und auch die Fliegen da kosten nichts, hingegen kostet ein Helikopter mehr als der Flug in einem großen Flieger, also ich meine in einem sogenannten Flugzeug!

Kann man die Ruhe immer ertragen? In der Ruhe findet man die Kraft fürs Leben, genauso wie man sich in Ruhe etwas überlegen kann.

Die Ruhe lässt auch Vertrauen zu. Genauso wie in ruhigen und friedvollen Tagen mehr fruchten kann als an lauten hyperglückseligen Tagen sich weniger offenbart. Der Tag der Einkehr, in sich selbst reinsehen, in ruhigen und friedvollen Tagen beginnt die stille Einsamkeit der Vernunft zu fruchten.

Mögen sie in Ruhe und Frieden leben, die, die wir vergessen wollen, jene, die wir nicht mochten und die, die vor uns gelebt haben und nun tot sind! Amen!

Lasst uns Kraft schöpfen aus der Ruhe in der nächsten Zeit, in den nächsten Tagen, Wochen, Monaten, wenn nicht sogar Jahren. Wenn wir nicht alles so viel mehr hätten wie unsere Ruhe!

Geschmacklosigkeit Pornografie!

Nichts löst mehr Assoziationen aus wie dieses Thema. Nichts mehr als Lust und Frust? Nichts kann geschmackloser sein als zum Teil diese Art von Fotos und Filme!

Alle kennen diese Dinge, aber trotzdem stehen die wenigsten dazu, dass sie so etwas selber schon öfters konsumiert haben. Man spricht aus: Das kenne ich; aber ich selber tue es nicht selber (wirklich) so machen. „Ich bin nicht so einer!"

„Aber du hast doch schon mal irgendwie nicht noch nie so etwas etwa im entferntestem nicht, nicht gesehen?! Oder?", fragt seine Frau mit großem, aber gespieltem Interesse!

„Nun, unser Sohn ist groß geboren worden! Reicht dies als Erklärung?"

„Sure", antwortet sie. „Oje, Mann? Wir kennen uns doch schon so lange. – Ich weiß, dass du selber welche gedreht hast mit diesem Flittchen!" – Sie überlegt angestrengt, als ob es nur eine Feststellung wäre und fragt dann zweifelhaft: „War sie es wenigstens wert? – Ich will die Scheidung!"

So, und ähnlich geht's zu und her. Aber das wäre, nüchtern ausgedrückt, noch der Anfang!

Überall werden solche Filme gedreht! Manchmal privat, manchmal professionell – die wenigstens haben Stil und Wert, aber zugucken tut man trotzdem. Schließlich will man ja angeblich trotzdem so was nicht wirklich nicht sehen!

„Den Hot-Dog zum Beispiel", sagt ein Mann zu seiner Frau.

„Du meinst die Sand-Uhr?"

„Weißt du denn nicht, wie das Wort denn heißt?", fragt der Mann.

„Doch – den möchte ich mal sehen, so einen Sandwiches!"

„Sehen, ja! Machen, nein!"

„Ich hab's noch nie getan!", spricht seine Frau mit unschuldigem Blick.

„Ich war mal jung gewesen. Es war anders gewesen. Mit mehr Stil und Geschmack. Ich schätze, es geht um Tausende und aber Tausende von Dollars und Millionen von Yen, Peseten und kolossale Wunderpreise! Dabei ist die Geschichte doch so einfach handzuhaben. Aber, die Geschmäcker sind verschieden. Die solustre Fassade auch und das Sofatussi kann anders – viele wollen aber nicht anders! Aber, es geht um das Gleiche – auf dem Kissen – wie auch um Himmelswillen ausführlichen Zuständen und in normalen Umständen. Nicht mit Unlust, sondern Zuversicht! – Die Reformen sind besser dran als profane, immer noch zu überbrückende Zielvorstellungen. Natürlich gibt's nicht nur den Kuss, sondern auch den Frust in der Liebe und Liebeskummer!

Die Geschmäcker sind verschieden!

Jedem das seine! Obwohl nicht alle das Gleiche verdienen und gemäß ihrem Anstand die gleichen Rechte haben! Obwohl man ja sagt, dass jeder vor dem Gesetz gleich sei!

Nicht jeder will das Gleiche und verdient, was ihm zusteht, obwohl es so sein sollte. Mörderisch, diese Gleichberechtigung, was Anstand und Würde angeht!?

So verschiedenartig die Geschmäcker auch sind, so eigenwillig die Geschmacksnerven und der Wille darin auch!

Manche mögen es dunkel, andere wiederum heiß, aber so bildhübsch darf und kann man doch nicht sein?!

Apropos Geschmack: Die Gerüchteküche soll auch so unterschiedlich extrem sein! Dufte Sache, so Vinaigrette Essig, was das neutrale Bewusstsein angeht, und auch ist! Das Ganze hat einen Haken, die Plakate einer Schreckschraube im Lichte der Zeit. Und das meine ich nicht wirklich so. Aber, geschmacklos ist in vielerlei Hinsicht etwas anderes, was wirklich zählt!

Zu dieser Zeit ist noch alles offen, die Hoffnung auf was Besseres nie vorbei, aber nur im Träumen zu verwirklichen; doch all dies zählt! Aber die Nebensache ist noch greifbar, was uns wichtig erscheint, jedoch irgendwann ist sie nie mehr vorbei! Oder doch? Nein, das glaube ich nicht!

Exclamantation Markets vermarktet man nicht mehr so schnell und oft, doch das beruhigt eher, als dass es uns quält!

Questions haben wir viele, aber quasseln konnte man bis jetzt unbeschwert gut und oft. Nur noch den Traum wollen wir uns erfüllen. Für einmal überwintern, was Sommerlaune angeht?

Doch wir drehen um, machen aus Pink und Muskatnuss, Ingwer, Stein und Mausoleum, aber …!

Warum so stier und lustlos down, aber wie denn? Ja, nobel geht die Welt zugrunde; aber wir haben noch Abdrücke und Footsteps für Footsteps, bis es uns nimmt. Nur noch den Geschmack loslassen, den Angenehmen nicht boshaft sein.

Sublimieren nur noch Tag für Tag – eine Woche lang unser Brot am Abend und sehen nicht gleich rot den ganzen Tag! Die Zeit ist reif, aber nur noch ich bleibe nicht nur übrig, aber wir kochen schon und haben was übrig für jene, die noch nicht so viel haben und nur noch einen Wunsch haben. Eine Nummer zu sein im Dasein auf unserer Welt.

Nun haben wir einen guten Geschmack angenommen und uns stinkt's nicht mehr. So wie früher!

Ist das Liebe?

Die Liebe ist unser kostbarstes Gut! Unser ein und alles! Wer sich liebt, der neckt sich, und dies in unserer Zeit, wo Gefühle fast abhandengekommen sind und man kaum mehr weiß, dass man sich mag!

Liebe ist alles und die Zeit, als man noch daran glaubte, muss wiederkommen!

Liebe ist mehr als nur ein Gefühl der Lust, um den Frust zu überwinden. Wer liebt fühlt mehr als nur Zweisamkeit im eigentlichen Sinne!

Die Zeit der Aufforderung, das Geldverdienen, das Kochen, Putzen und Waschen; bis dass der Tod uns scheidet; ist das nicht auch etwas Lohnenswertes, als nur alleine durchs Leben zu gehen?

Aber – es gibt noch mehr als das! Das Verliebt-Sein als Sahnebaisers zur Nachspeise, Zuckergugelhupf und Immergrün, in der Hoffnung, dass die Zweisamkeit überdauert!

Feinheit, Weichheit, Hartes und große Taten soll man nicht nur verbringen, beides gehört zusammen und verschwindet zusammen!

Die Gezeiten sind nicht mehr erwünscht, aber Ebbe und Flut wechseln sich ab! Die See mit ihren Schaumkronen, Gischt – die spritzt bis zum Himmel empor –, das sei die Norm und das Verhalten.

Die Zeit der ewigen Liebe, die man sich schwört – ist wirklich möglich –, auch in der heutigen Zeit.

Aber zum großen Finale die Hörner aufgesetzt und in der Weisheit erkoren, gibt keine Sorgen, sondern ist das Heutige von Morgen!

Gestern geschehen Dinge, heute setzen wir sie fort und morgen sind sie schon fast Geschichte, nur im Ansatz noch geboren!

Etwas Geschmackloseres gibt es nicht als faule Worte, aber auch nicht nur kluge Worte. Doch nur im Traum offenbart sich das gemeinsame Sein. Aber nicht immer sind Gegensätze fein! Fine! Strukturiert und fern von der Zeit, in der Hoffnung, auf geht's in alle Ewigkeit!

Aber, nur das eine zählt nicht nur allein –, kann aber auch Sünde sein!

Warum lässt in letzter Zeit viele die Liebe kalt – von der Hitze der Übermut befreit, im Prozess der gefahrvollen Unendlichkeit der Eh – wigkeit! Nun gibt es noch eines zu sagen: Wir lieben die Welt seit Kindertagen und das ist das, was gesagt werden muss! Ich liebe Dich bis in alle Ewigkeit! Verliebt, verlobt, verheiratet – gehasst, getrennt, geschieden, beides getrennt und auch zusammen möglich – für kurz und bis in alle Ewigkeit! Geschmacklos ist nur eines: wenn man sich trennt, obwohl man sich liebt! Doch nun verwirklicht euch nun diesen Traum, bevor ihn euch jemand anders wegschnappt! Die Liebe zählt mehr!

Single verheiratet!

„Wann heiratest du?", fragte jemand und die Antwort lautete darauf: „Irgendwann, falls die Richtige auftaucht!"

„Soso, der Apfel fällt nicht weit vom Stamm!"

„Ich bin mit meinem Beruf verheiratet", sagte er und sie machte stirnrunzelnd ein Gesicht!

„Gehst du mit mir aus?", fragte sie. „Ja, warum nicht, gerne!" „Fein", strahlte sie. „Gehen wir tanzen?" Ein wenig missmutig willigte er ein. Sie nickte, trotzdem erfreut über seine Einwilligung. Doch sie wusste aus Erfahrung, dass er zwei linke Füße hatte. Er wusste es zwar nicht mehr, aber sie hatte mal mit ihm getanzt, als sie vierzehn gewesen waren. Während der Grundschule.

Sie war glücklich, er auch. Aber, wenn sie nicht gestorben sind, dann wären sie vielleicht heute noch zusammen!

„Tätatütatata – ta – tata!" Sie hören jetzt noch den Klang der Kirchenmelodie mit der Hochzeitszeremonie! Der größte Triumpf, weil man beiden nachsagte: „Ihr findet nie einen Partner!"

Und jetzt, fünfzig Jahre später, eigentlich zehn Tage früher, schubste er immer noch ihre Füße von der Lehne seiner Chaiselongue herunter …

Sie sind noch verheiratet und gehen immer noch getrennte Wege, getrennte Kasse, getrennte Betten! Aber, sie sind nicht tot.

„Wir sind ein gutes Team, das funktioniert und wir harmonieren zusammen wie aus dem Effeff!"

Und der Extrateller ist noch zu erwähnen.

„Und wann das erste Kind?", fragt die Schwiegermutter.

„Weißt du, Mann, die reden noch immer von uns. Inzwischen nicht mehr so viel. Aber, auf das Geschwätz soll man nicht viel Federleins geben!

„Du, Frau?"

„Ja?", fragte sie und sah ihn immer noch mit dem gleichen ausdruckstarken Ausdruck ihrer haselnussbraunen Augen – über die Lesebrille hinweg – an.

Und jetzt hatte er es begriffen, am Glanz ihrer Augen, dass sie stolz war auf ihn.

Wisst ihr, man muss im Leben immer wieder mal etwas erfinden. Wie der Neuwagen draußen vor dem Einfamilienhaus. „Schreibst du immer noch auf dem Balkon deines Gartens, Nopel?", fragte mich meine Sosassa Konstantine Nopel.

Ja, seit Urzeiten schon. „Komm' her, du Frechdachs!" Ich legte den Bleistift beiseite und lachte. Es war ein glückliches Lächeln, das nur sie kannte …!

Sirilei und Remmidemmie!

Dampfablassen wie im Delirium ist nicht jedermanns Sache! Aber wenn die Geschichte ein wenig Ballast abwirft, dann reicht dies auch nicht! Hat das Delirium nicht auch ein Limit, nein. Das Delirium ist irgendwie ungewiss, ohne Belang, mit wenig Sinn und Gefühl und am Ende, das Remmidemmie, wo nichts Gescheites übrigbleibt?!

Außer dass nur Bruchstücke übrigbleiben, außer ein paar leere Flaschen irgendeines Getränks, ein paar Zapfenstreiche, die darauf folgen und die Ungewissheit, ob noch alles ganz geblieben ist, naja leere Vorsätze folgen viele!

Die Sache ist folgende: Man plant, geht hin und oh Grausamkeit, wider der Erwartung, wenn es nicht war, so wie man wollte? – Was dann?

Nichts Schlimmes ist passiert! Es gibt Schlimmes, wenn man zu viel erwartet. Am besten plant man gar nichts, und dann ist die Geschichte gelaufen?!

Plant man, dann folgt ein Remmidemmie nicht gleich wieder. Sondern ein Remmidemmie in einem Bistrettie, und dann seufz, eine Tour durch die Nächte! – Sich Zeit lassen eben! Aber den Rest mit Grund! Vielleicht aber auch nichts Rundes folgt darauf. Und wenn, dann kommt auf leisen Sohlen die Nacht der Gewohnheit und ihre Folgen und: Reicht das denn nicht? Vielleicht doch, vielleicht nicht?!

Aber warum nicht was wagen, sich sagen, was sind die Plagen, und folgt darauf so gut wie Nichts. Ich wette doch!!! Und dann das große Rennen, Gott verdammt und Gott verdamm mich! Aber, die Zeit ist reif! Oder aber, was jetzt? –

Mich plagt das große Wunder, die Zeit hat ihre Hunderter, aber die Zeit vergeht, und …

Nun, die Zeit ist vielleicht nicht reif, aber wir sind reifer geworden, und weil wir so gewesen sind, und ohne „Sirilei" gewesen sind, bleiben wir halt gleich.

Und sind noch ganz!

Nun, die Wege trennten uns und dann gibt's nichts zum Wanken zu bringen, weil ich eben bin, wie ich bin und so sein will, wie ich bin, und um so bleiben zu können, wie ich bin. Und das ist alles, was das Sirilei betrifft, und ein Rennen um die Zeit im Ablauf, mit klugen Leuten um mich rum, die alles besser wissen sollten. Aber, nichts zählt mehr, außer die eigene Stimme in einem selbst …

Man wisse es doch einfach selber, was immer soll passieren eben. Folgen, die mich quälen eben. Doch das Problem kennt man am meisten eben, denn es ist noch kein Meister vom Himmel gefallen! –

Fortsetzung folgt eben doch!

Man versteht Bahnhof?

„Was hast du gesagt?", fragt mich die Kioskchefin jeden Tag, bis auf heute! Das ging gerade noch mal gut, aber was das nächste Mal? Wann immer man etwas sagt, bekommt man die gleiche Antwort! Versteht man sich so schlecht? Oder nur mich? Denn der Kiosk ist am Bahnhof, liegt es daran? Versteht man dort Bahnhof, weil dort der Bahnhof ist?

Der Weg bis zum Bahnhof ist nicht so schwer zu finden. Man folgt einfach den Schienen bis zum Bahnhofsgebäude. Und was dann?

Nun, von dort gibt es nur zwei Wege. Wie sagt man doch gleich? Zwei Wege boten sich mir und ich nahm die Richtung, die weniger befahren wurde!

Zwei Wege. Gibt's auch zwei Wege, um Bahnhof zu verstehen? Ich glaube beinahe, ja.

Doch was ist, wenn es ein Großbahnhof ist? Mit vielen Lokomotiven, die locker ihre Motive zeigen?

Die Welt von jedem Einzelnen geht ab dem Moment in die Tiefe, wenn die Wege sich gabeln. Außer in einer Beziehung, wenn man sich trennt!

„Und was soll ich machen?", fragt sich ein Mädchen mit leiser Stimme. „Ich hab' schon alles versucht, meiner Stimme mehr Klang und Brillanz zu geben! Nun, spreche ich laut – so laut, dass ich fast schreie!!! Der Schrei hat niemand gehört, außer eine Person und die bist du! Hast du gehört, was ich geschrien habe. Ich bin's leid, denn ich bin heiser geworden! Stark erkältet geworden und darauf ich: „Hm, ja. Ich weiß!"

„Hörst du überhaupt zu?", fragte sie mich. „Na, klar. Ich bin kein Bahnhof, aber ich habe dir den Hof gemacht. Nun – ist die Bahn jetzt frei für mich?"

Sie überlegte zuerst kurz und dann zeigte sie ein strahlendes Lächeln. Komm' mit, ich hab' sogar einen Bahnhof. – Ich bin so froh, dass du nicht daran vorbeigefahren bist. Aber, warum hast du nicht schon früher was gesagt?"

„Nun, die Bahn war nicht frei; denn du hast gesagt, dass *der* Zug abgefahren sei …!"

„Wann?"

„Vielleicht ist jetzt ein Abo fällig, oder verstehst du immer noch Bahnhof?"

„Nein", lachte sie. „Jetzt nicht mehr. Jetzt gebe ich dir gleich ein Generalabonnement! Vielleicht gibt's auch den Stoßverkehr, zur Stoßzeit."

Jetzt sperrte ich den Mund auf und dann ging's los. Die Reise dauerte noch lange, war gar nie vorbei. Und was wissen wir jetzt, wir beide? Denn irgendetwas können die anderen noch immer nicht begreifen. Was denn?

Na, die anderen verstehen noch immer Bahnhof!

Gouvernante gesucht!

Wer passt schon gerne auf? Und ist gut gesinnt von denen, auf die wir aufpassen müssen! Außer den Kindern, die fröhlich spielend den ganzen Tag mit Vergnügen verbringen?!

Und wenn es böse Kinder sind? Jene, von denen es nur wenige geben müsste? Nun, eine Gouvernante müsste das hinbringen. Lehrer auch!

Die Zeit war eine Weile schlecht besinnt. Und war nicht gut gestimmt. Und vor allem die Kinder, die manchen Lehrer fast um den Verstand bringen!

Nun, die Hippiezeit ist vorbei. Make Love not War auch, die Zeit, wo man sich in den Haaren lag und anscheinend nur vom Lieben gelebt hatte!

Dann gab's fast nur noch den Krieg. Not Love just peaky! Nearly the Rest was overdrown, es fuhren fast nur noch die Straßenbahnen.

Gouvernante gesucht, ach herrjeh? Die Zeit stand still, horchte man für zwei, drei Mal am Tag auf die Geräusche der Achterbahn! Nun ist es vorbei! No War, but not just Nothing! Und was jetzt?

Jetzt braucht es neue Ideen. Welche die nächste Zeit überstehen!(?) Nicht nur für kurze Zeit, weil vieles vom Alten nicht mehr geht, und man nicht mehr lange in der Wiege liegt. Wenn – bis auf das Kind im Manne und das in der Frau? Die Zeit steht noch still und wir hasten im eigenen Willen hinterher, weil nach vielen Jahren unser Wille geschehen soll …

Und nun kommt das Beste, wir sind ganz legal, real und nicht nur rational, aber sehr selbstbestimmt, wir brauchen keine pittoreske Gouvernante, die alles nur eindämmt, bis auf das kleine Kind.

Ein Schluck Kaffee am Morgen, ein Tee zum Abendbrot, ein Bier, zwei, drei am Wochenende; alles in allem ist die Erschöpfung vorbei. Und nun das Beste: Wir haben wieder Zeit für eine Gouvernante, die uns die Zeit offenbart wie einer kleinen Person, am Wochenende, die Arbeit nur, steht still und ein klein wenig steif deklariert uns jemand vor Augen, auf den wir hören sollten, entscheiden selbst, was gut ist, bevor wir uns selbst ins Zeug legen! Wir brauche keinen neuen Hügelbrecher, der die Flügel uns verdreckt. Und das ist alles, was es dazu zu sagen gibt, oder? –

Das Wetter von Morgen ist kein kalter Kaffee ohne Sorgen! Aber der Tee ist warm, wärmer bis brühend heiß, und just no new Troubles, in Zukunft eben.

Was machen wir, wenn alle nach einer Gouvernante fragen, sich mit der Zukunft plagen, eben planen, forschen und sich erneut fragen: Komme ich durch, ohne nach neuen Sorgen zu suchen? Ich glaube, die Vergangenheit können wir nun hinter uns lassen! But not just Fun?! Easy eben!?

Paartherapie?

Was es nicht alles gibt? Wenn man einmal von einem Wurm befallen ist, so ist man gekennzeichnet! Dies weiß so gut wie jeder Mann. Obwohl es Probleme gegeben hat oder gibt, bleiben viele Männer ihren Frauen treu. Obwohl es natürlich ab dem Punkt nicht mehr dasselbe ist, was es einmal gewesen war!

Doch die Frauen haben manchmal urplötzlich den Mann nicht mehr so gerne, dem sie Treue geschworen haben. Was mag das auslösen? Irgendein Erlebnis, ein anderer Mann, oder ein neues Ziel? Nicht zu vergessen den Spleen, unter dem eine Frau steht, etwas, unter dem die meisten Männer leiden!?

Doch so romantisch eine Beziehung zwischen Mann und Frau sein könnte, so verzwickt kann sie auch sein. Liebe und Hass liegen eben nahe beisammen, doch wenn man sich vertraut und sich mag, braucht es in der Regel viel, was einer Beziehung schaden und sie zum Stillstand bringen könnte!

Doch wenn beide sich bemühen, passiert in der Regel nichts, was das traute Glück gefährden könnte!

Was muss geschehen, damit man eine Beziehung beenden will?

Wenn man 50 Jahre verheiratet ist oder anders gesagt ein halbes Jahrhundert, und dann plötzlich nicht mehr zusammen sein will, ist es natürlich noch schlimmer. – Natürlich passiert so etwas weniger, wenn man aus Überzeugung geheiratet hat. Aber, es ist auch schon geschehen, dass man sich zufälligerweise begegnet, sich liebt und dann beinahe sofort heiratet! Und trotzdem hält die Ehe?!

Jedoch, was ist, wenn ein Pärchen eine Therapie macht, die so einen Spleen fördert, anstatt ihn bekämpft? Nun, in dem Falle sollte man sich natürlich trennen und eine neue Zukunft anfangen. Oder, bis das der Tod uns scheidet, dies geht natürlich auch.

Aber wenn man weiß, dass man den richtigen Partner oder die richtige Partnerin geheiratet hat, dann ist das Glück eher rosig gestimmt. Oder wenn Kinder im Hause sind. Nun, es kann immer mal was dazwischenfunken. Und man kann getrost sagen: Es gibt noch mehr Frauen und Männer auf dieser Welt. Und so groß ist sie nicht, als dass man sich unmöglich finden kann.

Doch es gibt natürlich auch Menschen, die besser alleine auf sich gestellt sind oder es auch sein wollen. Und die brauchen auch nicht unbedingt eine Therapie, sondern sie brauchen nur den Mut, dazu zu stehen. Alles in allem lässt sich sagen, das traute Glück ist nicht so far away, sondern täglich greifbar. Nicht alle brauchen jemand, um glücklich zu sein. Aber, es kann auch das Gegenteil der Fall sein!?

Idiotensicher?

Man könnte meinen es gibt keine Idioten, aber es gibt mehr davon als man ahnt! Praktisch jeder kann einer sein oder werden! Aber nur einer kann der größte Idiot sein, jemand der meint, er sei keiner. Was gibt es heute nicht alles für idiotensichere Methoden und idiotensichere Maschinen. Roboter, radioaktiven Müll und versprühte Wände.

Apropos versprühe Wände: Idiotsicher angemalt sind sie schon, aber es gibt auch schön angesprühte Wände. Phänomenale Graffiti, die nicht von Idioten stammen können!

Es gibt nicht kleiner werdende Bahnbauten, aber immer einfach zu bedienende Maschinen. Idiotensicher? Ohne menschliches Versagen? Oder einkalkuliert? Es gibt an einer Maschine nichts auszusetzen, und den Menschen überlegen sind sie hoffentlich nie!(?) Bis jetzt hat man es zumindest nicht geschafft?! Und das ist auch gut so!

Doch was gibt es sonst noch für idiotensichere Dinge? Eine Beziehung z. B. kann nicht idiotensicher sein. Auch keine Freundschaft.

Ist ein Lottogewinn idiotensicher vorprogrammierbar? Ein Programm für den Computer muss idiotensicher sein.

Aber, was ist mit einer Alarmanlage? Sie alarmiert immer genau dann, wenn ein Einbrecher eindringt! Wird der dann gefasst? Das ist nicht idiotensicher vorhersehbar. Denn er ist nicht programmiert und nicht auf menschliches Versagen eingestellt. Er kann somit, wenn die Alarmanlage ausgelöst ist, flüchten und sich in Sicherheit bringen!

„Was bin ich für ein Idiot gewesen!", ruft ein junger Mann. „Ich hätte auf Nummer sicher gehen und auf meine Gefühle hören sollen!"

Gefühle sind nicht idiotensicher und vorhersehbar. Gefühlshandlungen hingegen schon. Zum Beispiel hart – weich – rot – gelb – blau lösen ein Gefühl aus.

Jedoch: Ist ein Idiot dumm, blöd oder dämlich? Meistens alle drei Dinge, ja! Aber ist es sicher, dass er ein Idiot ist? Ist das erwiesen? Sicher, sagen viele, wie aus der Pistole geschossen! Sicher, sicher!

Nichts ist sicher. Die Welt ist nur immer sicherer. Sie ist besser geworden. Sicherer? Ja, besser und sicherer.

Aber gibt's auch kluge Idioten? Ich glaube, ja, aber nur wenn sie Geld nicht blendet! Wer käuflich ist, lässt sich früher oder später auf alles ein! Das hat natürlich seinen Preis! Hat jeder seinen Preis? Nein, nicht jeder ist käuflich. Ist dies sicher? Wir hoffen ja. Sicher ist sicher! Idiotensicher! Ja!

Eintopf, Umtopf!

Großmutters Eintopf war das Beste, was es überhaupt zu essen gab! Mit Abstand. Und dann gibt's Mutters Lasagne, und der Tante ihre umhäkelten Kleiderbügel! Und dann kommt lange Zeit gar nichts mehr! Der Rest ist geschmackloser Kitsch, der an Wert dem nicht gleicht! Dann gibt's vielleicht noch den Gärtner, der die schönen Blumen umtopft. Ein Eintopf-Umtopf-Umformer. Könnte dies auch bedeuten, dass man jemand einen Kopf kürzer macht? Nicht unbedingt den Hals umdrehen, sondern ein bisschen dafür sorgen, dass man ihn formt und umformt! – Mit einem Kurpfuscher hat dies wohl nicht viel zu tun? Oder doch? Eben einfach Ziele in den großen runden Topf, wie ein Nudelsalat-Eintopf! Den umtopft man mit ein paar Verfeinerungen, tut das Nudelholz drehen und wenden. Eine Form des Halsverbiegens! Das macht mir Angst, falls man jemand einfach so durch die Nudeln dreht! Die Geschichte zieht dann noch etwas weitere Kreise: Ein Umtopf aus Holz, ist aus anderem Holz als Tonkrüge!

Apropos Tonkrüge: Ton in Ton, kriegt man eben nicht alles immer hin. Ist dies auch eine Form von Tonangeben? Auch dies ist in der heutigen Zeit der Umformungen und geschmacklosen Plunders, der sich mit den älteren Eintöpfen, dessen Deckel nicht passt, garantiert scheidet!

Doch dies passt einem schon. Außer immer fortwährend das gleiche, was genauso nichtssagend ist wie jemandes Dietrich, der zu allen Schlüssellöchern passt! Der Große, der Dicke, der Kleine, der Runde, der Freche und das lange Elend von keiner gleichen Geschmacklosigkeit!

Die Zeit ist schließlich reif und wir brauchen nichts weiter zu tun, als jemanden ab und zu einen Kopf kürzer zu machen.

Schwamm drüber, nicht nur, sondern gleichgültige Geschmacklosigkeit, den man in die heutige Zeit umtopft und neu regene-
riert! Reih und Glied geht alles Drumherum genau wie es sollte sein, aber in aller Form eben nicht passend für den Eintopf,
aber für den Umtopf und zogen wir nicht mit, wurden wir der
Geschmacklosigkeit bezichtigt!

Ziehen wir den Hut davor, nein, nicht mehr erwünscht, als
eben alle in Reih und Glied zusammenpassend herzustellen.
Doch lieber nur eines davon anstatt Millionen davon. Zu guter Letzt formte man Ecken und Kanten ab und ob man wollte
oder nicht, schien inzwischen alles zusammenzupassen, herstellen zu lassen. Und nun zum Kern der Sache, kommend, glaubte
man nichts Neues entdecken zu können. C'est formidable eben.
Nächstes Mal gibt's wieder den Eintopf für kleine und große
Helden! Formidable, eben!

Urban hab gesagt, dass …!?

Vom Schiff aus gesehen kann urban alles Mögliche nicht bedeuten, aber sesshaft sind jene, die urban sind!

Die Zeit steht still, alle sind städtisch, gebildet und weltmännisch, nur eines sind sie nicht, und das ist, auf hoher See! Städtisch bedeutet auf einem Haufen liegend, nicht verstreut, sondern wie ein Strauß Rosen, die alles gemeinsam haben, außer Zerstreutheit!

Gebildet sind heute nicht mehr alle, früher waren sie es, so war es stets und noch so ist!

Weltmännisch, weltfrauisch und noch im spe, vor allem misstrauisch gegenüber den Landstädtern, die von Kühen, Pferden und so manchem wohl viel mehr wissen als so manch Urbaner, der ihnen was vormachen möchte! Vertrauen kann man so einem, der die Urbanität so viel mehr pflegt als ein glückseliger Landgenosse, der meist nicht mit der Zeit geht.

Weltmännisch, weit offen sind sie, die Urbanen der Zeitgeschichte. Was sie sagen, muss dem Werte gegenüber meistens als bedeutungsvoll angesehen werden. Modern sind sie mehr, den Landvögten gegenüber, dem Upgrade verschrieben, sammeln sie doch, was dem Ländlichen mehr an Gemeinsamkeit pflegend, wie eine Traube das Wissen der Gemeinsamkeit. Glückseligkeit ist die Gepflogenheit ist die Urbanität der mannigfaltigen Zweisamkeit. Die Zeit ist reif, Urban hat gesagt, es werde Zeit, sich zu sammeln, so dass nicht nur auf dem Acker geerntet werden kann. Aber, gibt es die Stadt ohne das Land? Nein, dazu braucht es die Ernten der Ackertätigkeit!

Wir sind jetzt der Urbanität verschrieben, mehr dem Fleische des Wissens zugeneigt als dem Gemüse, stets dem Beweis der Kombüse.

Katzen gibt es da auch, der steten Zweisamkeit verschrieben, urban, gepflegt, weltmännisch, offensichtlich aber der Stille abgeneigt.

Die Zeit, welche das Ländliche erträglich macht, kommt vielleicht nie mehr, geschmackvoll sind sie natürlich, die Städter, aber sind sie erträglich?

Nein, sicherlich nicht, aber bequemer, was den Haussegen angeht, aber dem Hausgeist abgeneigt, schwimmen sie in den Mauern der Glückseligkeit.

Urban hat es manch einer leichter heute, es ist dort mehr zu holen, Leute, aber laut ist es da, mit Sicherheit, aber es sind mehr Leute dort! Und das ist der Grund dafür, dass die Zeit auf dem Land abgelaufen war. Urban geht's weiter heuer, nie wieder alleine heute!?

Aber, nun bin ich nicht mehr dort und das bedeutet: Nicht alles ist fortgegangen, sondern ein großer Teil dessen, der ich einmal war.

Konzilfestigkeit Firmung est!

Die Entscheidung war gefallen, in allen Ehren! Doch die Sachlage war etwas verworren in allen Dingen der Offenbarung, was den Glauben anbelangte.

Ein Konzil festigte die Geschichte, was den Glauben anbelangte. Selbst der Papst ist nur ein Mensch, er festigt alles, außer was wir glauben zu verstehen und zu wissen! In allen Ehren der Offenbarung des allmächtigen Gottes!

Doch was die Firmung anbetraf, war die Festigung dessen, was wir mitmachen und glauben, wohl von da an fest vorherbestimmt?

Oder schreibt uns jemand vor, was wir zu glauben haben? Nur Gott kann darüber urteilen?! Oder bestimmt Gott all' unser Tun und woran wir glauben? Vom Tag der Firmung an? Nein, die Firmung hat damit wenig zu tun!? Oder doch? – Nun, der Papst bestimmt wohl kaum, was wir zu glauben haben. Festigt die Firmung, was wir zu glauben haben? Nein, wohl kaum. Aber, warum kann nicht jeder einfach glauben, was er will? Immer wieder gibt es Menschen, welche meinen, sie könnten uns alles vorschreiben. Unser ganzes Handeln und unser ganzes Tun. Unsere ganze Glückseligkeit hängt wohl davon ab. Bestimmt unser Handeln unser Tun? Ein Konzil. Festigt ein Konzil unser Sein? Die Leute wollen langsam kein Konzil mehr haben!? Jedoch, was ist mit einem neuen Konzil? Ein Konzil, welches unser Bewusstsein fühlt! Nein, andere. Aber, was ist mit einem Konzil, welches unser Unterbewusstsein fühlt. Das ist schön und gut, aber nicht, wenn ein Konzil dahintersteckt? Nein, sagen wir, das brauchen wir nicht mehr, es gab schon genug Konzile, die unser Handeln behindert hatten!

„Ein Konzilchen, vielleicht?", schlägt jemand vor.

Nein, auch nicht. Gedanken an den Tag legen! Aber die Offenbarung muss selber bestimmen. Genauso wie unser Handeln unser Tun. Im Lichte der Zeit! Ein Friedenslicht vielleicht? Ja, das wäre schön. Ein friedliches Konzilchen, das die Zeit neu bestimmt, nicht in all seinem Tun, sondern um uns den Frieden näher zu bringen, astatt ihn uns zu diktieren!

In Frieden ruhen auch die Toten, und ich glaube, dass sie in Frieden mehr ruhen können als in Zeiten, wo Lärm und Unruhe vorherrschen?!

Frieden auf Erden, ohne Form, ohne Bestimmung, ohne das Ziel eines Konzils, der Festigung des Seins. Denn Ziele muss man selber suchen, und das bedeutet, das, wonach wir suchen, ist nur mit einem Satz zu sagen: Pax huic domui. Friede walte in diesem Hause! – Nun gibt es nur noch eines zu sagen, ohne Selbstbestimmung, nur mit dem Ziele, eines sicherlich zu erreichen, was alle immer erträumt haben und selbst die Geistlichen nicht geschafft haben, einfach zu sagen: wir nehmen ihn jetzt an, den Frieden auf Erden!

Soso wa ni fu desu!

Stets was Neues ist immer gefragt! Aber was ist, wenn es nichts Neues mehr gibt? In der heutigen Zeit? Wo Alles nicht, Neues nicht, aber das Mittelmäßige auch nicht mehr zählt?

Soso, war's das schon? Nein, wir reden jetzt Klartext! Klar, so viel Text gibt's auch wieder nicht! Klarschiff machen? Flagge zeigen! Die Zeit des Umbruchs ist vorbei und wir gehen über zum Text der Offenbarung der Neuzeit!

Soso, war's das schon? Ist es das, was wir beweisen müssen? So war's, so ist's gewesen. Jetzt ist die Zeit gekommen, wo neue Ideen gefragt und entwickeln sich sollen. Das ist es, was wir brauchen. Neue Ideen. Neue Männer. Neue Frauen. Vielleicht auch neue Kinder. Einer neuen resignierten Zukunft entgegen. Einer Zukunft, die Sinn macht!

Neue Kleider, neuer Stil; in einer Zeit, wo gefragt und gesucht wird!

Melodien sind vorbei. Gefragt ist, was gefällt. Klassiker kommen hervor, weil sie sich nicht mehr verstecken können und unvergänglich sein sollen!

Das Gegenwärtige ist vorbei! – Und nun, wo weiter? Gestern muss abgeschlossen werden, vollendet, beendet werden. Wir haben es geschafft in einer Zeit der Barmherzigkeit. Und was nun?

In der Zeit des Übergangs bahnbrechend Neues entwickeln ist keine Kleinigkeit! Wir brauchen was Neues!!! Aber was???

Und nun, wo alles ist, so war, wie heute ist? Vielleicht eine neue Gegenwart, zurzeit zurzeit nicht nicht möglich!

Neue Dinge über das Alte, das eben Abgeschlossene!? Beschränken wir uns doch auf schöne Dinge, Qualität, serviert in der vergangenen Gegenwart?

Soso, wawa, nini, fufu desu!

Die gegenwärtige Wirklichkeit ist nicht fehl am Platz in der Zukunft! Aber dies, unter neuem oder altem Namen? Unter dem klassischen Patronat der gegenwärtigen Zukunft? Und dann das Ganze nochmals von vorne? Nein, ungern. Schocks, Schmocks und futuristisches Geplänkel brauchen wir wohl kaum? Und was noch?

Ich wollte doch immer schon mal, warum nicht jetzt? – Ich wollte, könnte, aber die Zeiten haben sich gewandelt! Ich möchte eigentlich nicht mehr! Aber, wenn man's richtig überlegt, vielleicht doch.

Habe ich's doch schon vorbereitet. Seit Jahren schon. Doch die Zeit war nicht reif genug. Gleich gut ist nicht gefragt, geschmacklos auch nicht. Eher der Schnee von gestern, oder irgendetwas Belangloses, in einer Zeit, wo man nicht weiß, was man eigentlich will! – Doch ich weiß es: Gefragt ist das, was einem selber gefällt! Nicht die breite Masse?

Wahnsinns-Gouvernement?

Geteilte Welten, geteilte Freuden! Oder glücklich vereint, als Volk und Staatssicherheit! Eine klassische Vater und Sohn Beziehung! Der Vater, das Gouvernement und die Söhne und Töchter als Sicherheit der harmonischen Offenbarung?! – Doch oftmals trügt der Schein, als geteilte klanglose Unstimmigkeiten, denen die Kinder der Väter und natürlich auch der Mütter machtlos sind! „Die können doch nicht einfach machen, was sie wollen?"

„Doch, können sie, weil sie im eigenen Ermessen handeln", antwortet der Onkel der Väter, der belanglose Leichtgläubige, welcher sich über nichts aufregte!

„Wir helfen euch, wir leben die Macht, darum geht es uns prächtiger als den anderen; denn wir sind aus anderem Holz!", prangt einer der Väter der parteilosen Gewinner.

„Klingt gut?", meinte die Tante dem Onkel zugewandt!

„Der Schein trügt!", erbost sich der Onkel entschiedener Massen. „Ich höre auf dieses Geschwätz nicht mehr, weil's mich nicht interessiert. Ich lebe und lasse mich nicht mehr aus der Ruhe bringen! Hatte ich mir fest vorgenommen!"

„So geht das nicht weiter", sagen die Staatsmütter zu den Staatsvätern. „Das Volk soll sich zur Ruhe begeben." „Zur Ruhe begeben?", bohnert ein anderer fragend. Er war nicht gerade in bester Stimmung, wie jeden Morgen, während er sich rasierte und sich seine Krawatte umband und gleichzeitig mit seinem Parteifreund telefonierte. „Schafft mal was Handfestes!", antwortet der Partisane und tat so, als ob er den Telefonhörer auf die Gabel schmiss. Er schien in gereizter Stimmung zu sein! Während er Jacke, Mantel und Hut nahm, seine Fliege zurechtbog und nach seinem Aktenschober griff, nahm er wie jeden Morgen seinem jungen Parteigenossen seine Klausur ab, was Geschäftsinteressen und Integrität anbelangte, aber im Großen und Ganzen war er zufrieden. Er schob sich die Lakritze in den anderen Mundwinkel und macht sich auf den Weg zu „Vater und Sons". (Der Name ist mit Vorsicht zu genießen!) Während er nochmals nach dem Hörer griff, um seinem jungen Gesellen zu verstehen zu geben, dass er nicht mehr am anderen Ende der Leitung war! Wie bitter scheint doch diese Lakritze in der heutigen Zeit zu sein! Man glaubt zufrieden zu sein, ist zufriedener und will am zufriedensten sein, ohne kaum etwas dafür zu tun! „Na, du?" Er hatte schon jemand anderen am Apparat!" Ich geh' jetzt zum Büro, hol' mich ab?" „Jetzt bin ich wohl dran?", dachte die Sekretärin.

Sie schob den Rock zurecht und machte sich auf den Weg zum Rathaus!

Vanessas Schoßhund!

Nicht alle fangen an zu schnüffeln! Wohl eher schniefen sie, sei es vor Glück oder Unverfrorenheit!? Doch die Geschmäcker sind verschieden, sowohl für die Männer als auch für die Frauen! Riechen die Mädchen doch so süß; so herb sie auch im Nehmen sind, die Jungs – meine ich, so ist für alle eben etwas da, was betörend zu sein scheint!

Doch die wenigsten denken wohl: Wie wäre es, wenn ich wäre ein Hund? (Sauhunde – gibt's nur wenige, meine ich vielleicht!)

Wenn die Mädchen wie Jungens wären, so wäre die Welt ganz banal. – Fast ein bisschen zu langweilig!

Wie süß, wie niedlich wären sie doch, die Hundilein! So klein und fiepsig, die Kleinen –, so groß und männlich, mit Muskeln, die großen Tiere!

Doch was so einem Schoßhund nicht alles so einfällt! Wenn er nicht schnüffelt, drangsaliert er 'ne Katze in seinem Hohn und stupst sie mit seiner Nase vor Freude so manches Mal von der Seite her an.

Doch die Zeiten der Schoßhunde sind vorbei, weil sie so manches Leid beobachtet haben, denn die Aussichten sind verschieden, was Weichheit und Feingefühl anbelangt!

Man hört doch die fiesen Sprüche, über die Mauern eines Schoßhundes mal abgesehen! „Wäre ich doch gerne Vanessas Schoßhund gewesen." Doch die Aussicht, wenn man das mal sein würde, ist begrenzt, denn man merkt erst dann, was in einem Hundehirn vorgeht!

Viele mögen trotzdem mehr eine Katze, deren Weichheit sie fühlen und streicheln möchten. Vor allem, wenn sie lange Zeit lebt, ist dies von Vorteil, weil eine Katze ja, wie man's weiß, neun Leben hat! Ach, du grüne Neune!?

„Die Zeit der Offenheit gegenüber all denen, die Haustiere besitzen, von Vögeln, Katzen, Bienchen mal abgesehen!

Zusammenfassend lässt sich sagen: So ein Schoßhund zu sein, ist nicht jedermanns Sache heutzutage.

Als Prüfstein auch mal bestens geeignet, denn nur ein Hund kann Bissen runterschlucken, bevor er ihn gekaut hat. Bei Knochen ist es ebenso, Hundebiskuit auch, aber ob das alles Sinn macht?

Mag der eine das, der andere dies, das dortige der da drüben, aber nur einer mag's am meisten, wie es ist! Also, nehmt nicht allen alles übel, besonders nicht in einer Zeit, wo der Umsturz des Mittelalters schon längst hinter uns ist.

Wir leben in einer modernen neuen Welt, wo für jeden Platz sein muss!

Flaggschiff Prüfstein!

Was man nicht alles tut, um zu bestehen? Um als Schiff ohne Leck zu bleiben? Um zu fahren auf der wogenden See – bei Ebbe und Flut. Flagge zeigen, Verständnis haben, um all dem Geschmacklosen im täglichen Leben zu trotzen! Eine Prüfung war es und nun ist Not an Mann! –

Tüftelt man an allem irgendwie rum, zeigt sich oft, dass man nicht Nichts kann. Und wenn etwas geschmacklos ist, dann sind's jene, die nicht denken, arbeiten, und somit Nichts, was man auch nur im Entferntesten von ihnen denken kann! Denn wenn sie nicht arbeiten, dann denken sie nicht und wenn sie nicht denken, dann leben sie nicht!

Wenn man viele Ideen hat, muss man immer auf der Hut sein, damit sie einem nicht geklaut werden! Hat einer keine Ideen, dann kann er zum Beispiel was anderes, nämlich arbeiten.

Es brauchen aber nicht alle eigene Ideen, die er wahren und schützen muss, bevor sie an Reife zunehmen. Aber dann, wenn's Zeit ist, auch noch genug Zeit und Geld zu haben, um sie zu verwirklichen, das erfordert Prüfstein.

Somit ist es nicht jedem gegeben in gleicher Art und Weisegegeben, sich frei zu entfalten, aber trotzdem braucht jeder ein gewisses Mass an Freiheit! Denn jeder kann sich integrieren, wenn er nicht irgendwo anstößt! Denn Zeit ist willig und Geld hat heutzutage auch fast jeder. Nicht alle verdienen das gleiche, weil nicht alle die gleichen Dinge verdienen!

Ein Schiff, das Flagge zeigt, muss auch mal einen sicheren Hafen ansteuern und an Ort vor Anker gehen. Und die Passagiere gehen an Land, um Lebensmittel einzukaufen und neue Kleidung, um alte Bekannte zu besuchen und schlussendlich: Um gesellig zu sein!

Die Welt wird nicht kleiner, nur die Wege kürzer, die langen Reisen werden immer länger, weil sie kürzer werden. Und wenn das Schiff Schlagseite hat, dann kehrt es um, versucht einen Hafen anzusteuern, um es zu reparieren. – Und dann geht die Reise weiter, die Tage werden am Anfang eines Jahres kürzer und am Ende länger.

Und nun zeigt her eure Flaggen, wir wollen sie sehen, und zeigt was ihr könnt, und dann bekommt jeder, was er verdient und was ihm zusteht! Oh wie schön sind doch neue Ideen, die in Zeiten des Umbruchs zu Tage treten! Die Zeit des Schmalhans ist vorbei.

Aber nun, zu guter Letzt stechen wir wieder auf See, machen eine kurze Reise und vor allem, bekommen wir etwas zu sehen, zu sehen, zu sehen ...

Flagge zeigen, eine wahre Freude war es, die Zeit wird vergeh'n, doch nur den einen Traum haben wir, zu überstehen das Leben!

Das Leben ist ein Traum, den wir wagen dürfen zu träumen!

Fingerzeig Notsituation?

Fürwahr, wo Not groß ist, möchte man helfen!? Wo die Not klein ist, mag Hilfe zwecklos sein? Nötig ist oft Hilfe jeden Tag, aber nur da zu erwarten, wo sie helfen mag!

Man sieht sie im Fernsehen, Not überall. Nur nicht da, wo keine zu erwarten ist! Aber mit der Zeit weiß man natürlich, wo Hilfe angebracht ist. Normalerweise ist es so!

Hinsehen, wegsehen, großschreiben, kleinschreiben. Not an Mann gab's früher nicht. Heute soll es mehr Frauen geben als Männer. Keine Frage, dass die Männer oft in Not geraten, denn Frauen können oft in Nöte geraten!

Mit dem Finger soll man zeigen, wo Not ist gerade. Aber bisweilen ist Hilfe groß angekündigt, aber trotzdem klein! Wo ein Wille ist, gibt es oft einen Weg, der zu gehen nicht leicht ist! Und somit ist oft die Not größer, und auch die Noten sind größer, die man gibt. Die Geldbeträge höher und höher, aber meistens lächerlich klein. Dann ist Not an Mann und manchmal auch Not am Mann. Oft haben Frauen immer Geld, aber Not am Mann; bisweilen ist auch Not an Mann!

Bekloppt sind wir noch nicht, aber die Bekloppten brauchen Hilfe, wie im Galopp vorwärts gehen! Tam – tam – tem – tem – tam – tam. Die Not ist groß, aber dann kommt welche. Hilfe brauchst du, Mann! Die Frau braucht kein Gespann! Dann klappst auch mit dem Mann. Aber, dann fliegen die Fetzen, und so braucht es einen mit den Lefzen. Und dann haben wir sie wieder, die Notsituation. Kommt Zeit, kommt Rat! Und guter Rat ist oftmals ebenso teuer wie die Hilfe und die Aussteuer. Tut man dann die Steuern erhöhen, brauchen wir wieder eine Aussteuer. Ausgetrickst wirkt's dann auf beide zugleich. Nicht nur die Frau ist teuer, sondern auch ein Mann, der ist kein

Ungeheuer. Ungeheuerlich heutzutage. Wozu brauchen wir denn schon wieder eine ungeheuerlich große Tat, wenn schon wieder jemand in Not gerät? –

Die Zeit steht still! Rund um die Uhr zeigt jemand mit dem Finger auf den Pimmel! Pimmel hin, Pimmel her, wir brauchen bald Not beim Militär! Altersmäßig geraten sie in Gefahr, denn bald brauchen sie ihre Finger, am Abzug zugleich, wie auch am Pimmel! Immerzu ist diese Diskussion, die Not ist groß, braucht sie's wie eine große Nuss! In Not geraten sie an ein Feuergespann, Tröpfchen für Tröpfchen pissen sie dann! Aber die Not braucht starke Männer, genauso wie schöne Frauen. Frauen geraten gerne in den Schatten, wie die Schandtaten der Mannen. Somit gerät jeder in seiner Not, bis für eine Weile ihre Taten aussichtslos erscheinen!

Zeig mal her!

Nicht alle erfahren das! Aber in letzter Zeit stößt vieles von vielen auf Interesse! „Zeig mal her", sagen die Leute zu den Menschen ihres Interessens! „Was hast du da Interessantes gemacht?" „Gibt es noch mehr davon?"

Es ist schon eine ganze Weile her, seit diese Bewegung gewesen war. Nun ist es so weit! Nun geht's los! Aber, was ist, wenn der Schuss nach hinten losgeht? Wenn etwas, was interessant sich dünkt, nicht auf Interesse stößt? Kann man dies vorher planen? Ich glaube nicht! Dieses Risiko muss man eingehen und sollte auch nicht vorher geplant werden!

Zeig was du kannst! Nimm es selber in die Hand und mach' was draus! Aber, ein bisschen plötzlich! Autsch – aus! Das Interesse ist wieder vorbei und man wendet sich enttäuscht wieder den alltäglichen Dingen zu! –

Plötzlich wieder von neuem ein Schub! „Gib mal den Schreibblock, Freund. Ich habe eine Idee!" – Eine Weile später fragt der Freund: „Und, taugt diese Idee?" Sie gibt keine Antwort und schreibt ein Wort nach dem anderen. Ein Satz fügt sich an den nächsten. – Der Freund verliert das Interesse trotz aller Neugierde. Schließlich legt sie ihm den Schreibblock vor die Nase und sagt: „Hier, lies!"

„Zeig mal her" Er liest, was sie geschrieben hat und sagt schlussendlich: „Gute Idee!" Sie sieht ihn angewidert und fassungslos an. „Ist das alles, was du dazu zu sagen hast?" „Ja." Er sieht sie kurz an und steckt seine Nase wieder in die Zeitung und tut so, als interessiere sie ihn mehr als das, was sie auf den Schreiblock geschrieben hatte!

„Na, gut. Dann mache ich es im Alleingang, du musst nicht ausziehen, aber dich einschränken. Ich brauch Geld ‚en masse'. Hast du welches?"

Der Freund schüttelt den Kopf und sagt: „Nein! – Aber, die Idee ist gut! Du musst sie alleine durchziehen! – Bin ich trotzdem dein Freund?"

Sie nickt und sagt: „Na, klar! Liebend gerne beides. Freund und Idee!"

„Na, also", sagte er und lächelte.

Die beiden setzen ihr Leben fort. Sie sind zusammen, trotz der beruflichen Idee und dass sie damit Geld zu verdienen erhofft. Und sie verdient nicht gleich welches. Aber irgendwann hat sie den Erfolg. Davon ist sie nicht, aber er überzeugt, weil er der Meinung ist, dass die Idee gut ist. Sie braucht nur eine lange Entwicklungszeit. Und ein hartes Stück Arbeit! Einen Freund hat sie ja, der ihr vielleicht nur mit Rat, als Tat zur Seite steht. Und das ist mehr Wert, als man sich denken kann! Vielen geht es so. Und viele sind froh, wenn trotz einer Idee ein alter Freund noch vorhanden ist.

Es muss nicht immer alles gleich und alles neu sein, im Leben!

Trillerpfeife vs. Biotop!

Wenn Pflanzen oder Tiere reden könnten? Wie würde der Mensch dann dastehen? Wohl kaum im guten Licht! Die Menschheit war vorwärtsgeschritten und die Tiere waren gewichen. So war es Tag für Tag und Jahr für Jahr gewesen! Ein Biotop ist zwar sehr artenreich und wenn man die Tiere und Pflanzen darin nicht in Ruhe lässt, geschieht so manch ein Unglück. Wie immer weichen die Pflanzen und die Tiere dem Drängen der Menschheit! Und dies ist die Trillerpfeife der Besessenheit! Es kommt einem Blümlein schrecklich vor, wenn ein so riesiger Stiefelabsatz darüber wälzt; und es fällt in sich zusammen, gebrochen und kaum fähig, sich wieder aufzurichten!

Gebrochen der Bann des Einvernehmens mit dem Menschen. Gebrochen, ausgemerzt, gewichen den Absätzen der Menschen. In einer Zeit, wo nur noch Hilfe zu erwarten ist, trotz allem Gesunden, Humanem, trotz des Einvernehmens der Umwelt, Pflanzen- und Tierwelt erblickt als Stiefelbesitzer in Form eines ahnungslosen Plattgewälzten, als Scharlatane, als Bergsteiger und versinnbildlicht der Mensch sein Einverständnis in hohem Maß!

Nun, wir tun ja unser Menschenmögliches als Mensch von Welt. Meistens leider nur mit der Trillerpfeife! Der Mensch redet, die Pflanzen und Tiere schweigen stur, nur die wenigsten Tiere haben inzwischen den Mund geöffnet!

Nun, es geht nicht nur um die Trillerpfeife, sondern um die reiche Vielfalt in einem Biotop versus den Gattungsbevollmächtigten – den Menschen!

Die Zeit ist reif, um den Mund zu öffnen, aber auch um zu schweigen. Je nach Bedarf. Nur die wenigsten Tiere haben Stacheln und Dorne in der Urzeit gebildet, als Schutz gegen den Eindringling in ein Reich des großen artenreichen Biotops!

Nun, je nach kriegerischer Zeit, wo das meiste vorbei scheint, hat der Mensch nun Zeit, über seine Sünden nachzudenken, damit nichts schiefgeht!

Den Rest, wo wir alles tun, um Flora und Fauna Streicheleinheiten zu geben und ein bisschen die Erde zu lockern, den Himmel gießen zu lassen. Nun, diese Hilfe wächst nicht auf Bäumen. Ob wir einen Friedensvertrag anbieten wollen? In einer Zeit, wo es um die Erhaltung des artenreichen Biotops geht; wo wir alles tun müssen, damit die Erhaltung der Vielfalt in einer Weise vorangeht, damit uns nicht die Erde, das Feuer, das Wasser und schlussendlich auch die Luft ausgeht!? Auch, damit reichlich Nahrung und Rohstoffe übrigbleiben und genug für alle dableiben! Und dieses Verständnis müssen wir den Pflanzen und Tieren zurückgeben, so dass sie noch an etwas glauben können, worauf sie noch immer warten und nie aufgehört haben, davon zu träumen!

Ich gebe fast auf?

Oje, muss ich aufgeben? Ist all mein Bemühen ergebnislos? Kommt jeder Mal an den Punkt, wo er sich dies fragt? Nein, nicht alle, aber viele!

Aber, muss ich mit denen, die aufgeben müssen? Die man zum Aufgeben zwingt? Ab und zu gibt es dies schon! Und wenn man genug Verstand hat, merkt man sehr schnell, ob das eigene Bemühen Sinn macht. Und wenn man das getan hat, ist man selber schuld! Und falls das eigene Bemühen zum Ruin von anderen führt, muss man gezwungen werden, aufzugeben! Alles andere ist nicht fair und wird auch nicht toleriert! Wenn das eigene Bemühen niemandem schadet und man selbst dafür aufkommt, kann man sagen, „Na, gut!", aber sonst ist es nicht akzeptabel!

Oftmals zeigt der eigene Körper an, ob man übertreibt! Er reagiert mit Erkältung, Krankheit oder man hat einen Virus; oder man braucht wieder einmal den Schoss einer Frau! Nicht alle brauchen das, aber viele stehen darauf und geben es nicht zu! Wenn die Zeit reif ist für Irgendetwas, da geht fast jeder mal und besorgt sich etwas, was ihm zuträglich ist. Fast so, wie mit Essen und Trinken! Hat man Hunger, so isst man Etwas, hat man Durst, so trinkt man Etwas! Das ist doch ganz verständlich; das geht jedem so. Kommt der Sensenmann nahe, gibt jeder normale Mann oder normale Frau von selber auf! Außer man ist ein berechnendes Arschloch, das solche Dinge präzise plant! Das Ende vom Anfang? Oder der Anfang vom Ende? Kann man das verstehen? Wohl kaum. Alles hat nur ein Ende! Auch ein Anfang! Doch die Zeit, wenn sie stillsteht, ist nicht am Laufen! Läuft einem das Ende davon, dann muss man es einholen! Und umgekehrt!

Es gibt Leute, die geben nie auf. Und sind am Wachsen! Warum sollten sie auch?! Es gibt Leute, die zwingt man zum Aufgeben, obwohl sie nichts verbrochen haben! Warum nur, warum? Vielleicht haben nur wenige Verständnis dafür, was in einem Menschen vorgeht?! Doch warum muss man sich rächen für Dinge, die einem andere angetan haben? Ich meine, jemand der wirklich etwas Verdrehtes getan hat, jemand der rächen wollte? Das ist der schlimmste Fall, in so einem Fall! Man muss lachen, auch noch, wenn andere heulen sollten! Sind es dann Verbrecher? In der Regel nein. Ein Verbrecher würde sagen: „Es ist aus!" Ein guter Mann: „Jetzt kommt der Anfang!"

In Anbetracht dessen muss man nicht nie aufgeben, aber ein Lächeln noch für sich übrighaben!

Denn das Lächeln ist der Anfang einer neuen Wertvorstellung! Die ewige Zeit ist der Anfang vom Ende …!

Sittenstrolche Wellensittich!

Wer kennt sie nicht, die drolligen Dinger, die in Australien in Freiheit leben! Bei uns kennt man sie auch. Leider nur in Käfigen, die so manches Mal eher spartanisch und zu klein gebaut sind! Aber sie tun sich nicht wirklich grämen und sich beklagen, obwohl sie eingesperrt sind. Sie pflegen ebenso munter und lebenslustig zu sein. Und ihre Farbenpracht ist mit ihrer wellenartigen Zeichnung einfach lustig und bunt und einzigartig.

Wie bei den Menschen gibt es Männchen und Weibchen. Und wenn sie sich für einen Wellensittichpartner entschieden haben, bleiben sie meistens das ganze Leben langzusammen. Sie verhalten sich erst trübsinnig, wenn der Partner stirbt. Munter suchen sie dann nach einer Weile des Vergessens einen neuen Partner und schaffen es trotz Balzgehabe nicht immer. So ist es auch beim Menschen, diese Sitte. Viele denken, ich will nie mehr eine Beziehung haben und nie mehr mich verlieben. So wenig der ehemalige Partner einem gefallen hat, am liebsten, aus irgendeinem Grund, war man mit ihm zusammen. Man hat Bett, Tisch und Leben geteilt. Und dann plötzlich ist das Männchen oder Weibchen weg.

Was soll man dann gewöhnlich tun? Man kann doch nicht von da an sich beklagen und Trübsinn blasen?

Irgendwann hat man von Heulen und Weinen genug, man fängt an, sich nach einer anderen Beschäftigung umzusehen. Und falls man sich die Gefühle weggenommen hat, kann man nicht richtig heulen und weinen und dadurch das Vergangene vergessen? Und ebenso kann nichts Neues entstehen, weil keine neuen Gefühle entstehen können – wenn man keine mehr hat!? Und falls man kein Geld mehr hat, nachdem der Partner verstorben oder das schlimme Ereignis eines von irgendeiner

Art und Weise von Unmut geschehen ist, kann man seine Tätigkeit zwar ohne Gefühle leisten, aber gewinnen tut man nicht, weil man, falls man eine Arbeit hat, die man mag, dann tut man diese ebenso ohne Lust und Liebe. Aber die Zeit steht dann still und fast nichts kann mehr vorhanden sein!

Die Zeit der Reife ist nun vorbei, man süttert noch ein bisschen und fängt an, sich nach einem neuen Leben umzusehen, denn derjenige oder diejenige ist tot! Der Verlust war so groß. Aber immerhin ist man selbst noch am Leben. Ich werde es nie vergessen. Denn es war besser, das Ganze zu überwinden und selbst am Leben zu bleiben, weil man sonst auch nicht mehr leben würde! Man darf nie ganz aufgeben, denn sonst bleibt man nicht übrig. Nicht wirklich! Oder doch?

Gabi gibt auf!

Nicht jeder und nicht immer kann man die gleiche Leistung erbringen. Manche geben nie auf, wiederum gibt es welche, die sehr schnell aufgeben!!

Aber, manche atmen viel zu stark und andere hören auf zu atmen! Die Zeit steht still, aber die Vergangenheit liegt hinter uns und die Zukunft, egal was sie bringen wird, liegt oft vor uns!

Geblutet haben viele, verblutet sind nicht wenige, Verletzte gab es auch während der Zeit des Krieges. Blutet einer wie ein Schwein, bluten andere, während sie das Bewusstsein verlieren! Während man blutet, scheint die Zeit stillzustehen. Aber im Schweiße des Angesichts bluten welche, andere wiederum kleben wie ein Blutegel an einem. – Mein Herz pocht wie wild, wilde Lust beflügelt mich, aber es gibt auch Momente, wo stille Enthaltsamkeit vorherrscht – in diesen Momenten ist mein Blutdruck nicht ganz so hoch!

Jedoch, was heißt normal? – Normal ist bei mir permanent vorhanden. Normal bedeutet, in sich vorhanden und im Reinen zu sein. Wer das kann, der darf auf andere zugehen und anklopfen. Und die Tür wird einem aufgemacht. Denn so kann man zu sich stehen, weil man so respektiert wird. Falls man sich ändern will, bedeutet das ja, dass man mit sich nicht zufrieden ist und sich nicht normal genug findet!? Und dann auch Schritte unternehmen will, um sich zu ändern. Das darf natürlich auch sein. Aber, von dem Augenblick an, muss man wieder zu sich stehen und zufrieden sein! – Klopft man dann nicht an, kann man anscheinend nicht mehr zu sich stehen – noch weniger als vorher! Das heißt, man ist nicht mehr mit sich zufrieden und man findet sich nicht besser als vorher. Denn sonst würde man sich gefallen, wie man seit Neuem ist.

Gabi gibt nicht auf. Gabo hingegen schon. Man ist, wie man seit Geburt ist und so sollte man sich annehmen können, mit all dem, was man in die Wiege bekommen hat. Viele geben nicht auf. Andere können stur nicht ihrer Versuchung widerstehen, die eine Veränderung mit sich bringen soll. Aber ob man dann noch glücklich sein kann, scheint fraglich zu sein?!

Aber sich aufopfern für jemanden, der nicht mit sich im Reinen ist, scheint die Mühe nicht Wert zu sein!

Man ist so am besten, wie man seit Geburt ist, denn so hat Gott – oder Mutter und Vater – einen geschaffen. In einer Art und Weise, die sich zu würdigen lohnt.

Es ist sehr schwer, sich zu ändern, denn die Veränderung macht einen oft nicht zu einem glücklicheren Menschen. Denn die Veränderung erträgt die Seele dieses Menschen nicht!!

Auf dem Prüfstein!

Jeder soll und muss einmal eine Prüfung bestehen! Ob man will oder nicht! Und nicht jedem fällt es so leicht! Und danach ist man überrascht, wenn man die Prüfung hinter sich gebracht hat!? Das Leben ist eine harte Prüfung! Und auch Beziehungen sind Prüfungen ausgesetzt. Hat man dann Gewissensbisse oder macht man sich Vorwürfe, so hat man etwas Schlimmes getan!

Immer weniger geschehen schlimme Dinge. Es gibt weniger Kriege, Seuchen und Naturkatastrophen. Aber das Leben ist immer noch Prüfungen ausgesetzt! – Die Leute stellen langsam Ultimate, erheben Einsprüche, behaupten sich über Dinge, die den Frieden stören …

Eine Prüfung war es, das ganze Prozedere. Das Drahtseil des Einvernehmens, eine Zeit der Offenbarung war es und das Schlimmste ist vorbei! Vorbei die Zeit des Leidens. Auf's Tapet bringen die schlimmen Dinge, ausbalancieren die Akte der Akteure, die einem das Leben vermiesen!

Eine Prüfung ist es! Das Leben ist noch nicht vorbei, es muss weitergehen, eine Zukunft angesteuert werden! Wo Gefühle vorherrschen und Liebe gemacht werden kann. Zeiten des Einvernehmens, der symbiotischen Frieden geführt werden.

Die Prüfung ist da, sie steht vor uns! Nehmt sie an, macht etwas Außergewöhnliches nicht nicht! Und dann – was dann? Dann bleibt es dabei. Warum nur, warum ist es so schlimm? Die Liebe so unwillig, so wenig Menschen fähig? Darum süttern wir noch eine Weile und gehen darum zur Zeitlosigkeit über.

Aber, Vorsicht! Die Zeiten sind vorbei. Die, welche den Löffel abgegeben haben, sind nicht mehr da. Und dann nicht wieder in eine verstrickte Verwahrlosigkeit übergehen. Und, …? Was dann? Was dann?

Wir können nur eines tun: Die Liebe als Prüfung bestehen! Wir wollen sie wiederhaben, in den Herzen der Liebenden, auf eine Art und Weise, die einem zuträglich erscheint. Aber für eine kleine Weile eben nur. Sie braucht ja nicht nur Halt machen, vielleicht bleibt sie da!

So war es einmal und ist es wieder, in einer Zeit, wo sie mal bedeutungsvoll gewesen war!

Aber, eine Prüfung war es. Alles ist nicht aus und vorbei?! Eines ist uns geblieben, und das ist die Erinnerung an Zeiten, die mal besser gewesen waren! Auf ein Neues eben, und die Zeit muss vergehen, auf eine Art und Weise, so dass es dies wieder geben kann. Und das ist die getraute Zweisamkeit. Geblieben ist nur eines: Und das ist das nackte Leben!!!

Quark und Papiermacher!

Was für ein Blödsinn! Da haben wir den Salat? Was aus einem Blödsinn begann, endet in stiller Eintracht einer guten Idee! Die Zeit ist reif, um aus einem Quark einen Papiermacher zu schaffen! Ein Papiermacher kann reihum vieles besser. Aber, einem Papiermacher fehlt die Theorie als Basis!

Macht ein Papiermacher Papierkram? Nein, ein Papiermacher stellt in der Regel keine Akten her und kauft keine Aktiensparfonds! Ein Papiermacher stellt etwas her, was Theorie und Basis überdauert und in einem Endprodukt etwas darstellt! Er stellt auch keine Schnittmuster her, der Papiermacher, und das Produkt, das entsteht, ist in seiner Schönheit normalerweise endlos, weil es Jahre überdauert! Man könnte einen Papiermacher als Handwerker bezeichnen, der ein Produkt herstellt. Ein etwas Schaffender, der keinen Quark macht, weil Quark nicht unbedingt als Quark bezeichnet werden darf!

Der Quark tut ächzen und überbietet steht jegliche Rekorde nicht, aber ist nicht endloser als jeglicher Blödsinn! Quark und Papiermacher haben keinerlei Ähnlichkeit. Aber, die Zeit vergeht langsam für den Papiermacher und so schnell als Quarkhersteller, in einer stets modernen Welt!

Quark ist nicht immer essbar, es sei denn, es ist ein Nahrungsmittel. Aber, nicht immer dauerhaft. Quark kann aber ein Kunstwerk sein, hingegen gibt es nicht nur Quark, sondern auch einen Quark – der konsumierbar und stets essbar ist! Es gibt auch Papiermacher, die Quark herstellen. Aber, man muss Quark von Quark unterscheiden können. Quark tönt wie ein Frosch, ist aber keiner. Tut aber davonhüpfen und verschwindet wieder. Hingegen vergilbt, was aus Papier hergestellt wird, irgendwann doch. Außer, es hat Gültigkeit in seiner Form des Inhalts, oder es wird vorsichtig behandelt und aufbewahrt!

In einer Zeit, wo es nur Quark gibt, sind Papiermacher weniger gefragt, und wenn sie nicht auch Quark konsumieren können, dann überleben sie nicht immer. Dann kann das Papierwerk trotzdem vergilben und seine Bedeutung verlieren. Große, alte Namen verschwinden dann sehr rasch, weil Papiermacher dann wenig gefragt sind und die breite Masse eher Quark ist!

Die Zeit ist reif, dass nun neue Papiermacher auftauchen und Papier herstellen. Es braucht dringend welche, jedoch wird die Zeit nie vergehen, während der Quark gegessen wird!

Wie schon gesagt, es gibt auch Quark, der essbar ist! Und das in einer Zeit, wo Quark kaum überdauert und man auch mit vielem, was gut ist, trotzdem wenig erreicht! Nimmt man da nicht alten Quark hervor? Und denkt daran, wie man ihn in etwas Neues verwandelt? Somit entsteht neuer Quark!?

Wir sind!

Sind wir hier versammelt, um uns gegenseitig auszutauschen, oder um vorübergehend über irgendetwas nachzudenken? Nämlich, dass wir sind, wie wir sind! Und das darf auch so bleiben, denn erfahrungsgemäß fährt man so am besten!?

Die wenigsten wissen, wer sie sind! Andere wissen es ganz genau und diejenigen haben es manchmal gar nicht so leicht, wie man sich denken kann!?

Wir sind hier, andere wiederum sind dort, und wiederum andere dort drüben. Man kann nämlich Adler sortieren! Wenn sie verstehen, was ich meine?!

Wenn man es genau nimmt, ist es kein Zufall, dass wir hier sind! Und das verläuft ziemlich planmäßig, nicht zufällig. Aber, nicht nur das Schicksal gibt es, sondern auch den Zufall. Warum? Wann tendieren die einen zum Schicksal, die anderen zum Zufall? Gründe gibt es genug. Grundsätzlich kann man von der Lebenseinstellung ausgehen, aber am besten fahren die, die nicht darauf achten, ob etwas Zufall oder Schicksal ist und einfach leben und sich die Dinge genüsslich einverleiben, sofern sie können! Das ist natürlich die Bedingung. – Es gibt Leute, die finden für alles einen Weg; und die Zeit und die Welt steht denen offen, und ...

Aber, ...? Oder, ...!

Zufälligerweise gibt es nicht nur die Menschen, welche überlebt haben, sondern auch die Tiere und die Pflanzen. Es gibt, und dagegen gibt es natürlich nichts einzuwenden, immer noch Menschen, die nach dem Tod als Tier oder Pflanze geboren werden wollen, und dies zu erreichen steht bei denen an oberster Stelle.

Aber, was soll das Ganze? Wenn dann eine Kuh kommt und das Gänseblümchen frisst, das man geworden ist, dann ist das ewige Leben schon vorbei. Gut – eine Katze zu werden ist natürlich eine sporadisch gute Chance; da die Katze neun Leben hat …!?

Wir sind eben da, um zu leben, nicht unbedingt, um bald zu sterben! Und dazu ist uns jedes Mittel recht! Nicht jeder lebt gleich lang. Weil nicht jeder gleich ist und das gleiche Leben führt! Man muss eben aufpassen, dass man nicht gleich aufgibt! Und viele versuchen, einen Menschen zu haben, für den es sich lohnt zu leben! Manche wollen aber auch das *nicht* (mehr) haben! Aber, die wollen meistens etwas anderes. Aber, ich habe noch nie einen Menschen getroffen, der absolut gar nichts hat. Nicht mal Kleider? Naja, vielleicht kann jeder sich aufraffen und versuchen, zu sein, wie man ist! Und jemand zu finden, der einem gefällt. Man muss es nur wagen!

Nochmal von Anfang an?

Was wäre, wenn man nochmals leben könnte? Alles nochmals von Anfang an. Mit dem gleichen Wissen wie heute natürlich? Viele werden sagen: „Sofort würde ich dies tun!" Aber, die ganze schwere Zeit nochmals durchstehen bis zum heutigen Tage, kommt doch wohl nicht in Frage!?

Nochmals leben und zweigleisig fahren? Wie steht es damit? Nein, ein Ding der Unmöglichkeit! Aber, nochmals auf die lange Lebensreise gehen und es leichter haben, dies würden viele gerne machen!

Am Anfang liegt unser Leben in den Händen unserer Eltern, auch was die ferne nahe Zukunft mit sich bringt! Wenn wir dann das Leben überstehen und uns selber darum kümmern wollen, müssen wir feststellen, das dies gar nicht so einfach ist! Selber auf sich achtgeben! Selber seine Wäsche machen! Selber Geld verdienen! Selber Kinder zeugen! (?) Und dann? Kommt man da nicht an einen Punkt, wo man verzweifeln könnte? Doch! Bei manchen von uns sterben die Eltern. Bei vielen nicht! Aber, was ist mit denen, die nie welche hatten? Die wissen gar nicht, wie das ist! Viele müssen früh mit anpacken und helfen. Im Haushalt, im Garten, beim Einkaufen, usw. Haben die es dann leichter, später? Nicht unbedingt! Denn sie wissen besser, was sie tun müssen! Aber, es werden auch Zeiten kommen, wo das andere, das wohlbehütete, uns fehlen wird! Können die dann das wahrnehmen und ebenso handhaben? Nein. Ein Kind sollte wohl behütet aufwachsen, aber auch demensprechend auf das Leben vorbereitet werden! Aber, dass sie gleich wie Erwachsene sein müssen, ist zwar hilfreich und sie lernen dadurch, sich selbständig durchs Leben bringen. Aber, verzweifelt sie das nicht auch etwas, was sie dann das ganze Leben lang nicht haben und sie sehnlichst zu haben wünschen?! Doch. Aber, die Erinnerung zählt! Die Zeit ist eine Offenbarung, und dies würde bedeuten, dass man nicht alles erreichen kann. Und das Mosaik, aus dem der Mensch besteht, ist besser geprägt, als bei anderen und man sollte sich glücklich schätzen!

Wir wollen so weitermachen. Nicht nochmals alles von Anfang an. Und die Zeit, wo alles stillsteht, ist ihnen gegeben, denen, die so denken!

Wir sind frei und können wählen, mit wem wir zusammen sein wollen. Die meisten jedenfalls später in ihrem Leben! Aber, seid vorsichtig, euch ist alles gegeben worden! Nur – nur Kopf hoch und weiter so, es wird schon gutgehen! Meistens tut man alles auf eine Weise, die jedem selbst gegeben worden ist und das bedeutet, dass meistens nur schwer Jemand und Etwas an einem grundlegend zu ändern ist.

Aber, die Erinnerung lebt nicht immer, aber meistens eben doch!

Standhaftigkeit Stadtstaat?

Einer Stadt die Stange halten ist nicht so schwer! Vom Land in die Stadt ziehen schon eher! Aber, was ist, wenn man von der Stadt aufs Land ziehen sollte? Es wird einem nicht leichtfallen! Beides ist nicht leicht. Weder von der Stadt aufs Land noch vom Land in die Stadt ziehen!

Doch, was hält eher stand? Die Stadt oder das Land. Beides hat Vor- und Nachteile! Jemand, der beides hat, eine Stadt- und Landwohnung, der kann sich glücklich schätzen. Aber, ob der diese Vor- und Nachteile kennt, ist fragwürdig!

Eine Stadt hat eher etwas von einem Staat, wohingegen eine Landschaft eher auf dem Land zu finden ist! Die Stadt ist der Inbegriff des Bürgertums! Hat nicht das Land eher etwas staatenloses an sich? – Doch, natürlich! Aber, die Zeit wo es nur Landwirtschaft gab, ist vorbei und die Städte, die immer größer wurden, stagnieren langsam. Nicht überall ist schon gewiss, wo Bauland und Kulturland ist!? Wollen wir doch hoffen, dass es nicht so weit kommen wird. –

So, wie es Stadtgut und Landgut gibt, haben wir auch die Vororte, die für jene geeignet sind, die sich nicht entschließen können, wo sie leben wollen, auf eine Weise ihr Eigen! Beides hält stand, vielleicht auch, weil der Staat auch auf dem Land herrscht und auch dort seine Gültigkeit hat! Landstaat müsste es fast heißen. Wir können noch Stadt und Land trennen?! Aber, dann wäre die Bevölkerung doch sehr geteilt. Und dann gäbe es vielleicht die Staatspartei und die Landpartei, usw. Ich glaube aber, dass so, wie es ist, gar nicht mal so schlecht ist und wir erstmals so weitermachen sollten. Die Zeiten, wo das ganze System nicht standgehalten hat, sind natürlich schon lange vorbei.

Noch heute spielen Kinder wie Erwachsene „Stadt, Land, Luft"; ein Spiel, wo man für einen Anfangsbuchstaben ein dazu passendes Wort finden muss! Doch aus Spiel und Spaß, Land und Stadt wurde ernst, und so viel Unverfrorenheit beim Aussuchen der eigene vier Wände weitergeführt. Ich bin vom Land in die Stadt gezogen. Es gibt hier genauso wie auf dem Land nun Gutes und Schlechtes! Und es ist mit keinem vergleichbar, wie sich die Landluft von der Stadtluft unterscheidet! Aber eines weiß ich, obwohl es nicht mehr davon gibt, hier in der Stadt herrscht eher „dicke" Luft als auf dem Land. Hier in der Stadt ist die Luft ein wenig „draußen", und es gibt eher ein geschäftiges Hin und Her als auf dem Land. Aber, an beiden Orten wird gearbeitet, obwohl nicht die gleichen Dinge geschehen! Aber, die Menschen leben und sterben auch hier, tun ihre täglichen Pflichten, und abends sitzen man auch hier vor dem Fernseher oder schmaucht seine Pfeife. Aber, eine Stadt ist in keiner Weise mit dem vergleichbar, was man Landliebe nennt. Vielleicht eher profane Stadtliebe. Aber, die Erinnerung ist allgegenwärtig?

Das klingt hervorragend!

Manchmal ist etwas, was jemand tut, ganz hervorragend! Und das muss auch betont werden. Nicht alle haben gute Ideen oder können sich gut behaupten. Und diejenigen, welche immer von einem Gedanken zum nächsten eilen, ohne sich dessen bewusst zu sein, dass sie nicht mit beiden Beinen im Leben stehen, solche Menschen haben es nicht leicht. Und wenn sie mal eine gute Idee haben, können sie das oft nicht erkennen, weil es purer Zufall ist.

Es gibt Menschen, welche nur einmal eine gute Idee haben und sie dann ausschöpfen können, weil diese Idee ihnen entspricht. Traurig ist es für diejenigen, welche gute Ideen haben und sie nicht auswerten können, weil sie entweder kein Geld oder die Fähigkeit nicht dazu haben. Aber, aus irgendeinem Grund, haben sie plötzlich einmal eine gute Idee. Die Zeiten, wo es viele Menschen gab, die kreativ sind und ihre Ideen auswerteten und ausführten, gibt es im Moment nicht. Aber, man kann nie wissen, was noch kommen wird?!

Ein Kind soll gelobt werden und belohnt, wann immer es geht. Dann gedeiht und kommt es richtig. Aber, das Kind kann nur etwas aus einer großartigen Idee schaffen, wenn es erwachsen werden darf. Das Großwerden ist aber nicht Bedingung, weil es immer Mittel und Wege gibt, dass auch ein Kind etwas erreichen kann. Vielleicht nicht mit jeder Idee, weil es noch ein Kind ist. Aber, man sagt doch immer: Die Kinder sind unsere Zukunft! Aber, was ist, wenn es klein bleibt? – Vielleicht kann es eine Idee nicht im gleichen Rahmen fördern, aber es hat ja immer schon kleine Menschen gegeben. Und auch großartige Menschen! Aber, soll es nicht einfach Menschen geben, die einfach sind, ein einfaches Leben haben und einfach Ziele, weil es ihnen entspricht –, vielleicht?!

Dieser Fortschritt klingt doch schon ganz hervorragend! Und die Mühe und die Demütigungen auch. Und es werden Zeiten kommen, wo man nicht nur Schlechtes erleben wird, sondern auch ganz hervorragende Dinge!? Und, so ist es auch, und ich meine, seien wir doch mal ehrlich, wir sind doch schließlich großartige Menschen, weil wir leben! Und solange wir leben, können wir stolz sein, dass wir noch gesund und munter sind. Aber, es gibt auch Menschen, die verstorben sind und noch leben und welche, die sterben und wirklich tot sind! Weil nicht alle so putzmunter sind und so frisch gebacken. Nun, so sind wir an einem Punkt angelangt, wo man stolz sein kann, noch am Leben zu sein!

Das klingt hervorragend! Und es gibt nichts, was wichtiger ist als hervorragende Dinge! Und sporadisch gesehen, gibt es nicht nur hervorragende Dinge, sondern auch hervorragende Menschen, wie Sie und ich!

Somit klingt das doch ganz hervorragend!

Jetzt, aber …?

Nun sind wir soweit! Es ist viel passiert, was uns zu denken gegeben hat! Wagen wir es doch, einen neuen Weg einzuschlagen und uns zu entwickeln!

Wenn man davon ausgeht, dass irgendetwas geschehen ist und geschehen soll, kann man schon sagen, wir haben genügend Spielraum. Aber, die Zeit steht still. Und die Offenbarung ist groß, was das angeht! – Wir denken oft, dass wir vieles nicht hören können und es sinnlos scheint, viel zu erreichen! Jetzt aber scheint die Zeit gekommen zu sein, um einen nicht vorprogrammierten Weg einzuschlagen, der nicht pfeilgerade, sondern in vielen Windungen vor uns liegt, aber es geht nicht immer so leicht alles von der Hand. Und man glaubt, es können dann viele Wege zum Ziel führen, und das zeigt sich überall und nirgends! Aber, der Weg ist das Ziel. Er darf auch vorgeschrieben sein – irgendwohin?!

Jetzt aber glauben wir doch einfach wieder an uns und viele haben sich dies gesagt und dementsprechend ihren Weg ausgesucht! Wie immer der auch sein mag. Man glaubt es kaum. Denn wie immer hat man noch Gewissensbisse und ein schlechtes Gewissen und wir mögen nicht nur so sein, wie wir sind! Natürlich kann man das noch etwas ändern: Jetzt aber sind wir hier zusammen, aber, wir kommen hier nicht weg, denn wir sind alle im gleichen Boot!

Nun, wir können etwas vernunftgemäß interpretieren, aber auch kokett solidarisieren, auch irgendwie materialisieren und heroisieren, in irgendeiner Weise, die nur ein jeder selber kennt!

Wir gehen vorwärts und nicht rückwärts und drehen uns um uns selber vielleicht, und flugs bleibt es so, wie es schon gewesen war. Jedem gebührt, wie und was er verdient! Auch scheint es an der Tagesordnung zu sein, dass man irgendetwas unternimmt! Vielleicht nicht jeden Tag, aber warum nicht doch? Gibt es nicht auch interessante Dinge, die man schon hat?! Natürlich gibt es das! Aber, es gibt auch interessante Dinge, die man sich noch nicht erworben hat! Es gibt immer Menschen, die stehenbleiben, aber auch welche, die noch Dinge zu erledigen haben, die noch nicht erledigt worden sind!

Jetzt haben wir den Salat und machen ihn untereinander und geben Salz und Pfeffer dazu und ein wenig bis viel Essig, andere machen ihn schon untereinander und geben noch ihre heißgeliebte Mayonnaise hinzu …

Jetzt ist noch etwas Zeit zum Schlafen, jetzt aber nicht mehr, vielleicht doch! Ende gut, alles gut! Vielleicht aber auch nicht, sondern; Jetzt aber, flugs was in den Magen bekommen, und dann gehen, wohin der Pfeffer wächst! Jetzt aber flugs zur Arbeit gehen und dann nach Hause gehen, und …

Eben wie's jedem gefällt, im Hier und Jetzt!

Ein Kuss für die Lunge?!

Wie war ich doch manchmal eifersüchtig auf die Pfeifenraucher oder diejenigen, welche genüsslich eine Zigarette geraucht hatten! Heute rauche ich selber! Nun bin ich nicht mehr eifersüchtig und darauf bin ich in irgendeiner Weise sogar stolz! Nicht alle wissen als Kind, dass sie als Erwachsene rauchen werden! Andere beschließen mit 10 Jahren, dass sie mit 21 rauchen werden. Es gibt auch das Gegenteil, die welche denken: „Ich fange nie an zu rauchen!" Und trotz aller Bemühungen ihrer Mütter und Verwandten fangen sie selbst an.

„Ein Lungenbrötli am Morgen, vertreibt alle Sorgen!" „Mach dir keine Sorgen, die Sargnägel von Morgen!" „Ab und zu rauche ich eine Stange Zigaretten und oh lange, lange, lange!", etc. Die Sprüche hören nicht auf!

Mein Großvater hat mal gesagt: „Rauchen ist gesund!" Nun, gesund vielleicht nicht, aber es gibt genug Gründe, warum der eine oder andere vergessen sollte, mit dem Rauchen aufzuhören!

„Weißt du, es gibt Schlimmeres als den Glimmstängel!", pflegen wiederum andere zu sagen. Und es gibt Schlimmeres als das Rauchen!

Es gibt Leute, die rauchen seit Jahrhunderten und wiederum andere erst seit ein paar Wochen! Und noch immer rauchen sie. Auch wenn sie zeitweise husten.

Natürlich gibt es genug Gründe, es auch sein zu lassen! Wenn man sich z. B. die Lunge aus dem Leibe hustet! Aber, es gibt auch Arzneimittel, die nicht nur dazu da sind, um zu helfen mit dem Rauchen aufzuhören, sondern auch als Hilfestellung, falls man gerne raucht! –

Nikotinstängel versus Nikotinsucht. Da stellt sich die Frage, ob es Sinn macht. Natürlich gibt es Personen, die fressen sie geradezu! Aber, kontrolliert rauchen macht weniger Sinn! Merkt man doch selber, wenn man es übertreibt! Die Lungen melden sich dann beinahe sofort! Einen Kuss für die Lunge sind die Zigaretten natürlich nicht gerade, aber so ungesund sind die Zigaretten mit Zusätzen auch wiederum nicht. Zum Beispiel gibt es welche mit Trauben, Erdbeeren und anderen Zusätzen. Da fragt man sich, ob es nicht auch etwas bringt?!

Natürlich ist es für die Raucher mühsam, wenn sie in gewissen Räumen mit Rauchverbot nicht rauchen dürfen. Aber, eine Zigarette nach einer 4–8 Stunden andauernden Bahnfahrt oder nach dem Essen, darüber sollte man auch mal nachdenken! Man sollte es eben nicht zur Gewohnheit werden lassen!

Die Raucher sind interessante Leute, die normalerweise viel zu diskutieren haben. Rauchen ist nicht das Grauenhafteste, aber es ist grausam, wenn man alle zum Aufhören zwingen würde!

Was soll das bedeuten? (Warum nur, warum?)

Bedeutungsvolle Dinge gibt es viele! Auch bedeutungsvolle Menschen! Warum nur, warum nur, gibt es so Vieles und viele Menschen, die nicht so bedeutungsvoll sind?!

Ist es Zufall? Natürlich ist es Schicksal, aber es dem Zufall beizumessen, ist eher erstrebenswert! Aber, einfach zu sagen, es sei Zufall, ist zu einfach! Aber, ist jeder Schuld dessen? Natürlich ist jeder Teil eines Ganzen, aber schlussendlich selber verantwortlich für das, was er tut! Gäbe es dieses Problem, wenn jeder an sich arbeiten würde? Nein! Nun, ich würde sagen, eben doch! Denn nicht jeder arbeitet auf die gleiche Art und Weise an sich, und nicht jeder denkt gleich über Dieses und Jenes! Aber, werden Sie sagen: Wir stammen doch alle vom gleichen Menschen ab? Diese Antwort ist zwar richtig, aber demjenigen die Schuld in die Schuhe zu schieben, wäre fehl am Platze! Weil jeder den anderen überlebt, denn das Schicksal wird nicht von der Allgemeinheit gesteuert oder von einem Gremium! Warum nur, warum? Weil jeder selber auf sich aufpassen muss!?

Aber Gott kann man nicht dafür verantwortlich machen! Glaube ich zumindest. Dies wäre auch zu einfach, um eine Antwort zu finden!

Was soll das bedeuten? Nun habe ich keine endgültige Antwort! Diese muss es nicht geben! Es gibt zu viele Menschen auf dieser Welt, um jedem alles recht zu machen, und um jedem eine endgültige Antwort zu geben, und vor allem, um jedem die gleiche Antwort zu geben! Jede Kultur ist anders! Und in jeder Kultur ist anderes wichtig und jede Kultur ist an einem anderen Ort! Wir sind aber nicht im Eintopf Welt zusammengewürfelt, aber wir können diesen Topf nicht verlassen! Es gibt zwar Raumschiffe, womit man sie zeitweise verlassen kann, aber die wenigsten wollen dies! Hat sie nicht etwas Schönes, unsere Erde? Sie glitzert bunt vom Weltall aus. Farbenfroh, lebendig und unwiderstehlich! Sie ist etwas Besonderes, unsere kleine Welt und deswegen sollten wir sie hegen und pflegen! Es gibt zwar überall Leben, davon bin ich überzeugt, aber so schön wie bei uns ist es nirgendwo!

Ich glaube nicht, dass wir sie jemals verlassen müssen, aber vielleicht doch?! Das Weltall ist groß, größer als man es sich vorstellen kann, aber unsere einzige Welt ist auch als „groß" anzusehen. Ist das klar?! Wer klein rauskommt, hat genauso eine Chance, wie jene, die groß rauskommen auf unserer kleinen, großen Welt! Und dies ist jetzt druckreif und geht alle an! Alle sind kleine, aber große Menschen, auf dieser kleinen, aber großartigen Welt, in diesem großen, weiten Universum! Vielleicht ist das Universum kleiner als man denkt?! Nicht wirklich, aber: Naja?!

Hotels soll's geben?!

In den Ferien in ein Hotel ziehen oder stundenweise dort verbringen, in seltenen Fällen für jene, die kein Heim oder zu viel Geld haben oder nicht alleine leben wollen, ist ein Hotel wie geschaffen!

Viele Häuser könnten Geschichten erzählen und Hotels ganze Enzyklopädien und Lehrbücher, as well. Nur selten ist man fürs ganze Leben im Hotel. Aber, einmal, zweimal, dreimal schon und man ist's dennoch nicht gewöhnt, das Hotel als Heimersatz nur selten!

Schlüssel hat man immer bisweilen vergessen, verloren, oh du Schreck, ich ließ ihn im Hotel zurück! – Essen kann man auch dort, auch Liebemachen und auch einmal eine Party feiern! Nur einmal war ich dort allein und dann kam schon jemand und aus war die Einsamkeit, nur eines weiß ich, dort ist man niemals allein!

Hotels gibt's seit vielen Jahren, nicht erst seit kurzer Zeit, genauso wie die Notschlafstelle, dort ist man schon eher allein für eine gewisse Zeit!

Im Hotel hat man den Zimmerservice alleine oder zu zweit zu bestellen. Doch geht man lieber in den Raum, wo man etwas essen kann! Auch allein möglich, aber man ist trotzdem nicht allein! Will man hingegen alleine sein, kann man sich zurückziehen und ist dann natürlich alleine! Die Hotels sind auch für Gruppen geeignet! Aber sind sie denn so abwegig alleine zu besuchen? Wenn man hingegen kein Heim hat, ist es besser hier als alleine auf einer Notschlafstelle! Hier hat man dann seine Ruhe vor den Heimatlosen, die die Notschlafstelle bevölkern. Hier hat man rund um die Uhr ein Zimmer mit einem Schlüssel und hat seine Ruhe, wohingegen man auf der Notschlafstelle keine Ruhe findet. Man kann früher rein als dort und ab und zu zurückkommen, was man nur in einem Hotel kann!

Ob alleine, zu zweit oder in der Gruppe, man kann wählen, wo man sein will und ob man und wann man alleine sein will! Man kann auch zusammen hier seine Langeweile haben, aber wenn man will, ist immer etwas los! Man kann auch früher los, um einen Ausflug zu machen und spätabends was zu Essen bekommen, ganz wie man will! Hier kann man auch mal einrosten, es ist auch etwas für Stubenhocker und Partylöwen, ein Stelldichein kann hier jeder geben, wie man will! Am besten mal gleich die nächsten Ferien verbringen! Hier mischt sich niemand ein, wenn man nicht will! Alleine fällt man genauso wenig auf wie in einer Gruppe, die man auch alleine nicht meiden muss!

Bon Voyage, oh Hotel – Ziel meiner Träume! Eben hier kann man auch nach Jahren wieder im gleichen Hotel ein paar ruhig Tage verbringen! Na, also?!

Wir schenken uns nichts!

Kopf an Kopf, Zahn um Zahn kämpfte man meistens jeden Tag, um den Preis, den man verdient! Wenn der Kampf gewonnen ist, kann man sich im Stuhl zurücklehnen und relaxen! Nun hat man es geschafft! Der Kampf ist nun vorbei – was nun?

Viele werden zum Entschluss kommen, dass ihnen nun etwas fehlt, was ersetzt werden muss! Aber, es gibt ein weiteres Problem, es fehlt einem die Kraft, um dies in Erwägung zu ziehen!

Aber, was macht man dann in der Zeit, wo man keine Kraft hat, irgendetwas Sinnvolles zu tun? Nichts – oder eher etwas, was meistens einfach so passiert? Am meisten hilft es, wenn man sich für das „Süttern" entscheidet! – Aber, was ist damit gemeint? Nun, das vor sich Hinrelaxen! Aber, was muss man tun, damit man in einer „Sütterphase" nicht in ein Loch fällt? Nun, die Antwort ist leicht: Gekonnt Süttern vielleicht! Am besten beschäftigt man sich mit den kleinen Kindern. Aber, aufpassen, denn bisweilen macht man dann Zweiter! „Versuch es doch mal mit Spielen?", rät mein Sohn Istan. „Diese Form des Sütterns hilft den meisten Kindern. Warum sollte es nicht auch dir helfen?"

„Danke", antworte ich und füge dann schon etwas lächerlich hinzu: „Ich spiele doch schon Lotto. Ich habe am letzten Lotto-Match meines Vereins teilgenommen, der Käse, den du gerade isst, stammt von da!"

Wir sollten uns nichts schenken! Wir schenken uns nichts, was nicht nötig ist! Aber, die ganze Zeit geschmackvoll etwas Gutes tun, macht auch keinen Sinn! Schulden wir uns etwas, wenn wir die Sütterphase abgeschafft haben, Leute? Vielleicht andere süttern lassen! Warum nicht! Viele sind sich etwas schuldig, wissen aber nicht, was sie sich schuldig sind!

Nun, das Süttern soll Geschenk genug sein? Denn manche sind schon damit zufrieden! Andere kommen nach dem Süttern nicht mehr. Sie sind es nicht gewohnt, zu süttern und nachher nicht fähig, das Süttern bleiben zu lassen! Dies ist nun wahrscheinlich druckreif, denken die einen. Der Nopel hat gesagt: Man soll nicht süttern und trotzdem süttern!? Nun, die Zeit ist reif, sich einzugestehen, dass jeder selber weiß, ob er zu süttern hat! Und Zeit haben wir genug, um uns klar zu werden, was wir wollen und was wir mit unserem Leben anfangen müssen! Und dies ist jetzt auch druckreif und verdammt nochmal: Wir sollen uns eingestehen, dass Süttern durchaus zuträglich ist und uns mehr als guttut! Aber irgendwann kommt man an den Punkt, wo man genug hat, und dann muss man einen Schritt weiterkommen! Aber zuerst gilt eines, und folgendes klarzuwerden. Nämlich, uns Folgendes deutlich zu machen. Ob man es glaubt oder nicht: Wir schulden uns nichts!

Das glaube ich auch!

Viele glauben, das Leben habe nichts für sie übrig, aber das glaube ich nicht! Es gibt aber nur noch wenige, die mit dem Leben schon abgeschlossen haben! Oder etwa nicht? Diejenigen, welche für das Leben und das Menschliche nichts übrighaben, leben wohl nicht mehr! Das glaube ich auch! Es gibt aber welche, die nicht wissen, warum das so ist! Und denen dies klarzumachen, ist nicht so einfach! Und dessen bin ich mir auch bewusst! Aber, viele versuchen es und die sind zu bewundern! Ich versuche es auch, wenn auch eher als Schriftsteller als Privatmensch! Und dessen bin ich mir schon bewusst und sogar froh darüber. Wie dem auch sei. Die Dinge stehen gar nicht mal so schlecht für die Menschen dieser Erde! Inzwischen zumindest. Und dies muss druckreif werden und hiermit versuche ich es auch!

Die Welt ist gerettet worden; und dies ist nun auch druckreif; und die Tatsache, dass dies hat geschehen müssen, nun – dies ist nicht allen bewusst; und dies ist das Problem, welches Schriftsteller und Künstler übernehmen müssen! Man liest zwar in den Nachrichten darüber oder sieht Dinge im Fernsehen, aber nichts Informatives für jene, die noch nichts darüber wissen! Nun, dies ist nicht zwanghaft nötig, aber irgendwie müssen Dokumente und Zeugnisse geschaffen werden, die dies auf irgendeine Art und Weise festhalten und für die Nachwelt hinterlassen! Was aber gar nicht so einfach sein wird. Ich schaffe vielleicht nur einen Teil dieser Dokumente, daneben befasse ich mich ja viel mit dem Thema Menschen, was viel Zeit erfordert! Und ich habe noch Jahre zu tun, um diese Bücher zu schreiben, und das hilft mir beim Denken an die Zukunft und was ich sonst noch zu tun gedenke – in den nächsten Jahren!

Die Zeit ist sehr angespannt und reif geworden für diejenigen, die das machen sollen und das ist eher den wenigsten klar! Musiker tun dies bereits, Schriftsteller kaum! Künstler, die es wagen, gibt's auch kaum. Nun, dies kann ich sogar verstehen, es ist ja auch nicht so einfach! Vielleicht muss es auch die Möglichkeit geben – diese Dinge zu vergessen, so dass man sich irgendwann nicht mehr daran erinnert!

Starten wir nun in eine neue Zukunft, wo nicht alles neu geschaffen werden muss und gemacht werden kann. Trotzdem braucht es neue Männer und Frauen, die versuchen, mit irgendetwas an die Öffentlichkeit zu gelangen. Und darauf warten alle und ich selber bin sehr gespannt darauf, wer es wagt! Ich bin auch gespannt, wie lange es dauern wird, bis es jemand wagt! Und auch sehr gespannt, was aus unserer Zukunft werden wird! Bis dahin gibt es nur noch eines, den Menschen auf dieser Welt viel Glück zu wünschen!

Swing, Soul, Technodance?

Wer kennt sie nicht alle, die Ohrwürmer der Musikszene, wenn man sie im Radio und Fernsehen hört und sieht! Von „O sole mio!" bis hin zu Udo Jürgens' „Mercie, Chérie!" und „Granada!" und viele mehr. Bei Swing und Soul ist es schon schwieriger! Bei Technodance-Rhythmen dreht es vielen der Magen um. „Es ist so laut!" und „das ist ja einfach nur Lärm!", hört man da nicht selten. Mir geht es genauso! Aber man kann auch da von einem „modernen Kapitel" der Musikgeschichte sprechen. Und es gibt auch da die „Klassiker" der Technomusik! Wenn man das so sagen darf?!

Aber, bei der Musik gibt es grundlegende Unterschiede. Es gibt Lieder, wo jeder „Zeter und Mordio" schreien würde. Musik muss einem gefallen! Und wenn man Glück hat, kennt man einen Sänger, den man pausenlos ertragen kann! Dann hat's der Sänger geschafft. Und das bedeutet Erfolg pur! Und ich meine, das ist, was gefällt! Musik fürs Leben, für die Freizeitgestaltung, zum Tanzen und auch für die Hochzeitsgala! Im Moment gibt es genauso viel „Neues" sowie Belangloses, aber keine neuen Ohrwürmer mehr. Warum dann nicht die alten Platten hervorholen und für sich anhören, vielleicht aus einem längst vergessenen Kapitel der Musikgeschichte!

Was wird's noch Neues geben? Nach Technodance, House und Funk, usw. Wir erinnern uns vielleicht noch an die Lambada-Musik oder den Rock 'n' Roll und dann für die etwas Langsameren, die Walzerklänge oder etwa Opern und die klassischen Komponisten. Ich glaube, da ist für jeden etwas dabei. Also, wenn man sich langweilt, warum nicht den Gang zum Plattenladen wählen und sich die neuen, alten Platten von irgendjemandem holen und sich anhören?

Nun, die Launen der Musikgeschichte sind sehr verschieden und Musik ist selten ganz out, wenn man ehrlich sein will. Es geht nicht lange und man fängt an zu träumen und wippt mit dem Fuß dazu! Und wenn niemand zugegen ist, ist es sowieso egal, welche Musik man sich anhört, denn außer dem Nachbarn kann sich ja niemand beschweren!

Musik ist die Grundlage des sich Wohlfühlens und es ist völlig egal, welche Musikstilrichtung man mag, wichtig ist nur, dass sie einem gefällt und dass einem nicht langweilig wird!

Es gibt auch Leute, die hören gar keine Musik und genießen lieber die Ruhe und Stille um sich herum, und bei wiederum anderen plärrt den ganzen Tag der Radio oder der CD-Wechsler.

Wichtig ist nur, dass man sich keine Musik anhört, die man schlecht findet und trotzdem macht sie doch einfach Spaß und ist ein Höchstgenuss!

Schwertlilien gibt's auf dem Friedhof genug!

Sie begleiten einem nicht überallhin, aber manche zur letzten Reise! Es gibt vielleicht keine auf dem Friedhof, aber Schwertlilien gibt's genug! Frieden werden sie wohl kaum bringen. Und diejenigen, welche das Schert führen, werden wohl kaum auf Lilien stehen! Das Schwert wurde genug geführt und die Menschen haben langsam genug vom Sterben durch das Schwert!

Die Zeiten müssen sich ändern, denn die Schwertlilien haben genug Schaden angerichtet, sonst landen allzu viele auf dem Friedhof! Aber, wir haben ja die moderne Medizin und deswegen landen immer weniger in kürzester Zeit auf dem Friedhof – wenn überhaupt!

Nun, früher wurde der Kampf ums Sterben mit dem Schwert geführt und zu modernen Zeiten gibt es immer wie haarsträubende Methoden, wie die Lilien fallen. Angefangen mit Revolver, Pistole, Gewehr und heutzutage den vollautomatischen Waffen; bis hin zu Cyberwar und was weiß ich noch alles!

Ich weiß, dass es keinen Sinn macht, in dem Fall von alten Zeiten zu reden! Zeugnisse von Schwertlilien gibt's genug! Auch in den Nachrichten. Und es scheint kein Ende zu nehmen! Und trotzdem glaube ich, dass das Ganze nicht Nichts gebracht hat, aber das Ende von all dem ist erwünscht und vorprogrammiert! Denn es gibt nichts mehr zu kämpfen! Denn man könnte sagen, es ist alles schon geregelt worden! Die Schwertlilien sind langsam auch tot! Und die wenigen, die übriggeblieben sind, sehen sich nach neuer Tätigkeit um. Also, was gäbe es Passenderes, als den Kampf für das Gegenteil, für den Frieden? Der Frieden könnte ein einträgliches Geschäft sein! Und die Schwertlilien vergnügen sich damit auf neue Art und Weisen! Somit bleibt der Friedhof leer. Und noch etwas braucht es weniger und das sind die Kisten, wo die Leichen sich darin befindet haben, die Särge!

Schwertlilien gibt's auf den Friedhöfen genug, aber keine weiteren Sargnägel sind nötig, denn sonst findet der Frieden keine Einkehr auf den Friedhöfen. Und die Menschen können sich anderen Dingen zuwenden als dem Geschäft mit Mord und Totschlag! Die Schwertlilien lassen sich auf hervorragende Weise zeichnen und malen und sehen so nicht unglücklich aus!

Vielleicht kümmern sie sich in Zukunft lieber um Liliane und gehen im „Restaurant Schwert" etwas trinken und feiern ein bisschen. Und diese mörderischen Geschichten sind dann eher in Romanen und Filmen zu sehen. Die Geschichte um Liliane ist auch zu interessant, als dass man sie vergessen könnte!

Frieden ist nun eingekehrt und lässt sich problemlos zelebrieren. Frieden sei mit euch allen, auch bei denen, die um Liliane kämpfen!

Scherben bringen Glück!

Wer kennt nicht dieses Sprichwort: „Scherben bringen Glück!" Und welches Kind hat nicht Freude daran, ein Sparschwein mit dem Hammer kaputtzuschlagen! Aber, ich glaube, man kann heutzutage nicht mit einem Sparschwein zur Bank gehen und sagen, dass man den Inhalt als Bares sehen will! Nein, das geht nicht gut, wird's heißen, Sie müssen das Geld zuerst auf ihrem Konto gutschreiben. Auf der Post dasselbe, man muss das Sparschwein selber schlachten und das Kleingeld zu einer gewissen Anzahl von Coins mit einem speziellen Papier zusammenrollen! „Alle Achtung!", werden Sie denken. Komplizierter geht es nicht!

Warum ausgerechnet Scherben Glück bringen, wissen wir nicht! Aber, man hat so eine Freude daran, wenn es scheppert und scherbelt! Aber, wenn jemand die Scheiben des eigenen Fensters mit einem Stein einwirft, ich glaube, daran hat man weniger Freude!

Glücklicherweise bringen nicht nur Scherben Glück, sondern auch Marzipan-Schweine oder der grüne Klee. Und der Schonsteinfeger soll auch Glück bringen, wenn er rabenschwarz vor Ruß den Schornstein fegt!

Glückwunschkarten sollen auch Glück bringen und auch, wenn einem jemand viel Glück wünscht! Aber, weniger Glück bringt eine schwarze Weste, im Gegensatz zur weißen!

Natürlich sind nicht alle Menschen glücklich. Die wenigsten können sagen, dass sie vom Glück überrollt werden! Aber die Menschen, die glücklich leben, muss man bewundern. Ich glaube, man sollte sein Leben ändern, wenn man unglücklich ist! Und ich glaube, dies haben viele Personen in letzter Zeit getan. Und die glücklichen Menschen mag man auch lieber als die Unglücklichen! Aber fast jeder freut sich, wenn man „Viel

Glück zum Geburtstag!" singt! Wie miesepetrig muss man sein, wenn es einen nicht freut?!

Aber es macht wenig Sinn, falls man sich kurz vor seinem Tod eingestehen muss, dass man eigentlich immer unglücklich gewesen ist! Nun, der Glückselige ist derjenige, der nicht selig ist, sondern einfach glücklich noch am Leben ist! Vielleicht sollte jeder sich einen Art Glücksbringer zutun und vor allem etwas nicht tun, sich nicht eingestehen, dass man glücklich sein könnte, wenn man etwas Bestimmtes unterlässt oder irgendetwas tun muss, damit man glücklich wird!

Glücklich-Sein ist ein Zustand, den es sich lohnt zu erreichen, und nicht akzeptiert, dass mein Kummer und Verdruss lebt, wenn es anders geht!

Der Obermackeronie! Wie geht's?

Es muss ihn gegeben haben! Den Obermackeronie, den reichsten und mächtigsten Mann, der je gelebt hat! Dass es keine Frau gewesen ist, glaubt man zu wissen! Nun, ich will keine Namen nennen und auch keine Vermutungen anstellen, aber es scheint ihn nicht mehr zu geben!

Warum sollte es auch! Ein Obermackeronie ist nicht einfach ein Staatschef, sondern ein unantastbarer, unliebsamer Gauner, der alles unter seiner Kontrolle zu halten glaubt! Nun, wo ist er gewesen und wer hat ihn entfernt? Ich glaube, wir können nur hoffen, dass es nie wieder so ein Obermackeronie geben wird! Sonst verlieren die Leute langsam die Nerven und den Glauben an eine offen, frei Welt!

Heutzutage nimmt man einen Obermackeronie nicht einfach mehr so hin! Und er macht auch keinen Sinn mehr! Weil niemand einen Obermackeronie schätzen lernen kann, wenn er alles bestimmt und besitzt. Es ist einfach zum Kotzen!

Nun, jedes Land hat eine eigene Sprache und seine eigene Kultur! Und wenn jedes Land zu sich steht und keinen allzu großen Schwachsinn macht, dann ist vielleicht das Problem gelöst?!

Aber, nicht nur die reichen Länder, sondern es müssen auch die etwas ärmeren etwas zu sagen haben! Aber, wenn immer nur die Reichen zu buttern haben, ist dies auch nicht in Ordnung. Weil doch jeder etwas zu sagen hat und dementsprechend etwas erreichen kann!

Nun, einen Obermackeronie hat wohl irgendwie in irgendeiner Form jeder Staatshaushalt, auch wenn es Länder mit Staatspersonen – d.h. Männer und Frauen, die sich für andere einstellen lassen und für sie agieren und zu rotieren! Einen Obermackeronie kennt man in der Regel nicht selbst! Aber, er kennt uns?!

Natürlich nicht jeden, aber die Wichtigsten wird er wohl kennen! Und trotzdem hat man es nicht nett mit ihm, wenn er fordert und befielt! Und wer immer nur bestimmt, der muss auch manchmal bei etwas *klein* beigeben! Denn wer immer austeilt, muss auch manchmal einstecken können! Sonst wird einem die Geschichte zu bunt und es wird das eigene Ansehen merklich schmälern, und der Mackeronie wird zu einem Überdruss!

Aber, heutzutage muss man sich fragen, ob es so einen Obermackeronie jemals wieder geben darf? In der Form, wie es ihn früher gegeben hat, jedenfalls nicht! Ich glaube, die Leute wollen lieber eine große, freie, weite Welt, wo jeder sich problemlos zurechtfindet, und man in Ruhe sein Leben leben kann! Vor allem die Kinder müssen in Ruhe und Zufriedenheit aufwachsen können! Denn sie sind die Zukunft dieser freien, weiten Welt!

Nachwort!

Nach den 42 Kapiteln und dem Versuch, ein Vorwort zu schreiben, bekenne ich mich dazu, dass ich ein urbaner Städter geworden bin! Ich habe nicht vor, schon von der Stadt wegzuziehen! Was einerseits verständlich ist, aber wenn man davon absieht, welcher Geschmacklosigkeit ich in der Stadt begegnet bin, und der Zeit, die ich in dem zweiten, mittleren Dorf verbringe, wo ich auch einen Teil des Buches geschrieben habe. Ich habe mich lange gefragt, ob ich die richtige Entscheidung getroffen hatte, von dem kleinen Schweizer Bergdorf, wegzuziehen? Inzwischen glaube ich, ja! Hier in der Stadt brodelt mehr Leben!

„Romeum und Julium – Die Stadt der Gültigkeit!? Wie man das Ländliche erträglich macht!!!" wird die Fortsetzung des zweiten Buches der Romeo und Julia Reihe sein!

Auch wenn ich manchmal Zweifel habe, am richtigen Ort zu sein, wo ich seit fast einem Jahr wohne, denke ich nicht daran, die Wohnung aufzugeben! Aber einfach wieder aufs Land zu ziehen, habe ich nicht vor. Aber es gibt noch ein drittes Dorf, wo ich sehr gerne bin. Da werde ich oft in nächster Zeit sein. Dort ist es zwar ruhig, aber dort zu wohnen habe ich nicht unbedingt das Verlangen dazu. Aber das dritte Buch wird zum Teil dort geschrieben werden und Formen annehmen und auch irgendwann fertig sein. Bis dahin viel Glück!

In Dankbarkeit
Konstantin Nopel

Der Autor

Konstantin Nopel wurde 1972 in Istanbul geboren.
Nach der Ausbildung zum Schneiderhandwerk
bildete er sich autodidaktisch weiter und arbeitete in
verschiedensten Berufen. Heute besitzt er ein kleines
Lokal. Nopel ist esoterisch begabt, hat viel gelesen
und spricht mehrere Sprachen. Seine zahlreichen
Reisen führten ihn unter anderem in die Schweiz,
wo er zeitweise gelebt hat. Nopel ist verheiratet und
Vater von zwei Kindern, er lebt derzeit in Bangkok.
Sein besonderes Interesse gilt der Philologie, die er
als Hobby betreibt. Bisherige Veröffentlichungen:
„Die Kraft der Energiemeditation", „Wer war
Jesus?" und „Romea und Julius – Das Dorf der
Gleichgültigkeit!?"

Der Verlag

*Wer aufhört
besser zu werden,
hat aufgehört
gut zu sein!*

Basierend auf diesem Motto ist es dem novum Verlag
ein Anliegen neue Manuskripte aufzuspüren, zu ver-
öffentlichen und deren Autoren langfristig zu fördern.
Mittlerweile gilt der 1997 gegründete und mehrfach
prämierte Verlag als Spezialist für Neuautoren in
Deutschland, Österreich und der Schweiz.

**Für jedes neue Manuskript wird innerhalb
weniger Wochen eine kostenfreie, unverbind-
liche Lektorats-Prüfung erstellt.**

Weitere Informationen zum Verlag und
seinen Büchern finden Sie im Internet unter:

w w w . n o v u m v e r l a g . c o m

novum VERLAG FÜR NEUAUTOREN

Konstantin Nopel

Romea und Julius – Das Dorf der Gleichgültigkeit!?

Wie man dem Urbanen der
Gleichgültigkeit entkommt!!!

ISBN 978-3-99064-861-2
78 Seiten

Den Zeitgeist der heutigen Gesellschaft trifft Nopel in dieser
Sammlung aus 33 aussagekräftigen, kurzen, brisanten Texten.
Da hilft nur noch eines: Man muss sie lesen!